DICTIONNAIRE

DES

SCIENCES NATURELLES.

PLANCHES.

BOTANIQUE : VÉGÉTAUX MONOCOTYLÉDONS.

STRASBOURG, DE L'IMP. DE F. G. LEVRAULT.

DICTIONNAIRE

DES

SCIENCES NATURELLES.

Planches.

2.e PARTIE : RÈGNE ORGANISÉ.

Botanique

CLASSÉE D'APRÈS LA MÉTHODE NATURELLE DE

M. ANTOINE-LAURENT DE JUSSIEU,

Membre de l'Académie royale des sciences de l'Institut,

PAR

M. P. J. F. TURPIN,

Membre de plusieurs sociétés savantes.

VÉGÉTAUX MONOCOTYLÉDONS.

PARIS,

F. G. LEVRAULT, LIBRAIRE-ÉDITEUR, rue de la Harpe, n.° 81,

Même maison, rue des Juifs, n.° 33, à STRASBOURG.

1816 — 1829.

TABLE DES PLANCHES

DU

DICTIONNAIRE DES SCIENCES NATURELLES.

BOTANIQUE.

3.e DIVISION. — VÉGÉTAUX MONOCOTYLÉDONS.

N.° d'ordre.	FAMILLES.	GENRES ET ESPÈCES.	RENVOI AU TEXTE.		N.° du cahier.
			Tome.	Page.	
1	Aspect général.	Cocotier des Indes....... Bananier du paradis...... Calamelle officinale...... Iris germanique .... Narcisse des poètes....... Cymbidie à fruit épineux.	9 4 6 23 34 12	527 1 338 437 631 167 324	1

CLASSE TROISIÈME.

MONOHYPOGYNIE.

N.° d'ordre.	FAMILLES.	GENRES ET ESPÈCES.	Tome.	Page.	N.° du cahier.
2	Potamées......	Potamot marin..........	43	100	27
3	Aroïdes.......	Arum maculé...........	3	179	1
4	*Idem*.........	Zostère marine..........	60		14
5	Cyclanthées...	Cyclanthe à deux feuilles..	61		29
6	*Idem*.........	*Idem* (analyse).........	61		29
7	Pistiacées.....	Codapail flottant.........	9 41	537 154	34 34
8	*Idem*.........	*Idem* (analyse)..........	9 41	537 154	34 34
9	Typhinées......	Massette à feuilles étroites.	29	304	9
10	Pandanées.....	Baquois utile (ind. stérile).	4	29	12
11	*Idem*.........	*Idem* (ind. fertile)......	4	29	12
12	Cypérées......	Souchet brun............	49	500	42
13	*Idem* scirpées..	Scirpe maritime.........	48	133	8
14	*Idem*.........	Linaigrette à feuilles étroites	26 61	495	13 13
15	*Idem* caricinées	Laiche en gazon.........	25	135	13
16	*Idem* sclérinées.	Sclérie non épineuse.....	48	142	44

N.° d'ordre.	FAMILLES.	GENRES ET ESPÈCES.	RENVOI AU TEXTE. Tome.	Page.	N.° du cahier
17	GRAMINÉES	Ivraie vivace............	24	47	17
18	*Idem*	Vulpin genouillé........	58	514	14
19	*Idem*	Hilaire fausse-râcle......	21	159	46
20	*Idem*	Eriochrysis de Cayenne...	15	191	13
21	*Idem*	Uniole à larges feuilles...	56	276	24
22	*Idem*	Agrostis chevelu.........	1 61	328	8 8
23	*Idem*	Maïs cultivé.............	28	104	9
24	*Idem*	*Idem* (analyse)..........	28	104	9

CLASSE QUATRIÈME.

MONOPÉRIGYNIE.

N.° d'ordre.	FAMILLES.	GENRES ET ESPÈCES.	Tome.	Page.	N.° du cahier
25	PALMIERS......	Dattier commun.........	12	514	7
26	*Idem*	*Idem* (analyse)..........	12	514	7
27	*Idem*	Wouaie élevé.............	18 59	438 94	39 39
28	*Idem*	Doum de la Thébaïde.....	13	472	20
29	*Idem*	*Idem* (analyse)..........	13	472	20
30	CALAMÉES......	Sagouier farinifère.......	47	29	39
31	*Idem*	*Idem* (analyse)..........	47	29	39
32	*Idem*	Sagouier des Moluques....	61		55
33	*Idem*	*Idem*..................	61		55
34	RESTIACÉES.....	Restio à 4 folioles (ind. stér.)	45	276	38
35	*Idem*	*Idem* (ind. fertile).......	45	276	38
36	JONCINÉES	Jonc articulé............	24	236	8
37	*Idem*	Caulinie de l'océan	7	286	36
38	COMMÉLINÉES...	Ephémérine de Virginie..	15	47	2
39	PONTÉDÉRIÉES...	Pontédaire à feuilles en cœur	42	516	16
40	JUNCAGINÉES ...	Lilée subulée............	26	412	32
41	ÉRIOCAULÉES....	Joncinelle dendroïde.....	24 61	239	46 49
42	PODOSTÉMÉES ...	Marathre à feuilles de fenouil.................	29	96	31
43	ALISMACÉES.....	Plantain d'eau...........	1 17	473 182	4 4
44	BUTOMÉES	Butome à ombelle...	5	471	2
45	COLCHICÉES.....	Colchique d'automne.....	10	26	4
46	*Idem*	Varaire sabadille.........	8 57	39 301	47 47
47	ASPARAGINÉES...	Asperge commune........	3	215	1
48	TRILLIÉES.	Parisiole rhomboïdal.....	2 61	95	30 30
49	BROMÉLIACÉES...	Ananas sauvage..........	43	502	17

CLASSE CINQUIÈME.

MONOÉPIGYNIE.

N.° d'ordre.	FAMILLES.	GENRES ET ESPÈCES.	RENVOI AU TEXTE. Tome.	Page.	N.° du cahier.
50	Dioscorées.	Raïane en cœur	44	358	42
51	Asphodélées.	Lin de la Nouvelle-Hollande	40	3	21
52	Hémérocallidées	Hémérocale bleue	20	544	21
53	Amaryllidées	Amaryllis réticulée	2 61	16	22 22
54	Narcissées	Narcisse des poètes	34	167	7
55	*Idem*	Agavé à fleurs géminées	1 61	291	52 52
56	Hypoxidées	Hypoxis étoilé	22	382	20
57	Liliacées	Fritillaire impériale	17	405	1
58	*Idem*	Tulipe sauvage	56	44	12
59	Hæmodoracées.	Wachendorfia thyrsiflora	59	1	33
60	Xyridées	Xyris operculée	59	182	41
61	Iridées	Iris germanique	23	631	5
62	*Idem*	Ferrare ondulée	16	456	34
63	*Idem*	Bermudienne à réseau	4 61	328	31 31
64	Bananiers	Strelitzia de la Reine	51	92	38
65	*Idem*	*Idem* (analyse)	51	92	38
66	*Idem*	Bananier figue	4	1	7
67	*Idem*	″ du paradis (analyse)	4	1	7
68	Amomées	Amome gingembre	2 2 S.	55 18	6 1
69	Cannées	Balisier flasque	3 61	470	23 23
70	Orchidées	Sabot à fleurs jaunes	12	405	30
71	*Idem*	Ophrise apifère	36	217	1
72	*Idem*	Elléborine à larges feuilles.	15	85	2
73	*Idem*	Épipactis nid-d'oiseau	15	86	45
74	*Idem*	Angrec de Chine	12	327	41
75	*Idem*	″ taché	12	332	49
76	*Idem*	Vanille aromatique	53	473	20
77	Hydrocharidées	Morène grenouillette	32	565	5
78	*Idem*	Vallisnère en spirale	56	453	48
79	*Idem*	*Idem* (analyse)	56	453	48
80	Cabombées	Cabombe aquatique	6	23	34
81	*Idem*	Hydropeltis purpurine	22	249	44
82	Balanophorées.	Hélosis de la Guyane	12	389	46

FIN DE LA TABLE DES VÉGÉTAUX MONOCOTYLÉDONS.

BOTANIQUE.

MONOCOTYLÉDONES.

Turpin pinx.t et direx.t *Plée sculp.*

1 Cocos *nucifera* | 4 Iris *germanica*
2 Musa *paradisiaca.* | 5 Narcissus *poeticus*
3 Saccharum *officinale.* | 6 Cymbidium *echinocarpon.*

BOTANIQUE.

MONOCOTYLÉDONES. Potamées. *(Juss. inéd.)*

Turpin pinx.t et direx.t *Massard sculp.t*

POTAMOGÉTON marin.

POTAMOGETON marinum. *(Lin.)*

(1/2 Grand. nat.)

1. *Fleur entière, grossie.* 2. *Pistil.* 3. *Une étamine soudée avec la base d'une foliole calicinale.* 4. *Fruits dont trois, en* a. *sont avortés.* 5. *Fruit coupé horizont.nt* 6. *Id. coupé verticalement.* a. *Rudiment du stigmate.* 7. *Embryon isolé.* 8. *Id. coupé verticalem.t* a. *Coléorhize.* b. *Radicule.* c. *Cotylédon.* d. *Gemmule ou bourgeon terminal de la jeune plante.*

Turpin pinx. et direx. *Dien Sculp.*

ARUM Maculé.

ARUM Maculatum. *(Lin.)*

1 Spadix dépouillé de sa spathe. 2 Ovaire grossi. 3 le même coupé longitudinalement dans le quel on voit 2 ovules. 4 Anthère. 5 Fruit mur. 6 le même coupé verticalement. 7 Graine. 8 Coupe de la même. 9 Embryon.

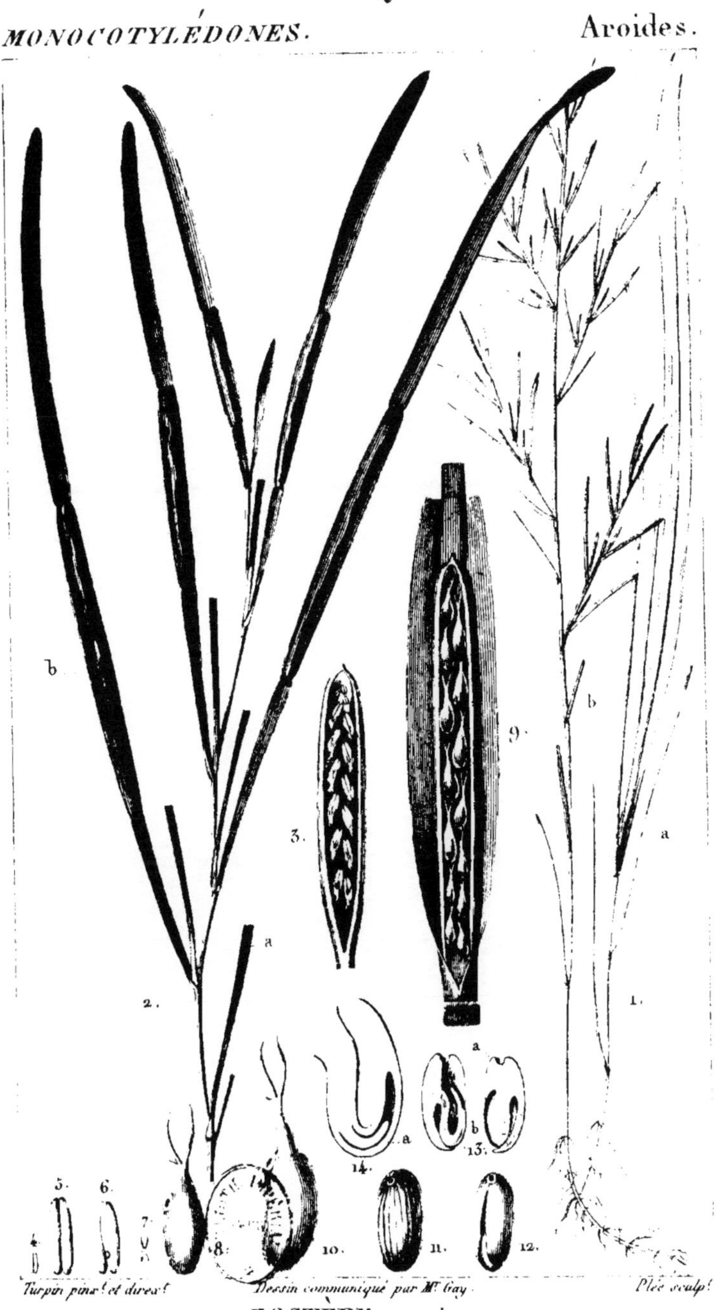

Turpin pinx.t et direx.t Dessin communiqué par M.r Gay. Plée sculp.t

ZOSTÈRE marine.

ZOSTERA marina. *(Lin.) (¼ de Grand. nat.)*

1. Individu entier, réduit. a. Partie stérile. b. Partie fertile. 2. Rameau fertile, réduit à la moitié de sa grand. nat. a. Gaine. b. Partie fructifère des feuilles. 3. Spadix garni, alternativement, d'anthères et de pistils. 4. Anthère (gross. nat.) 5. Idem grossie. 6. Id. vue du côté de son attache. 7. Pistil (gross. nat.) 8. Id. Grossi. 9. Partie spathiforme d'une feuille dans laquelle on a mis à découvert un spadix chargé de fruits murs. 10. Péricarpe. 11. Graine. 12. Embryon. 13. Id. dont on a coupé par moitié la radicule. a. Radicule. b. Cotylédon. 14. Cotylédon détaché. a. Plumule.

BOTANIQUE.

MONOCOTYLÉDONES.

Cyclanthées.

(Poiteau. Mém. du Mus. d'hist. nat. Tom. 9.)

Turpin pinx.t et direx.t *Dien sculp.t*

CYCLANTHE à deux feuilles.

CYCLANTHUS bipartitus. *(Poit.)*

(22.me de Grand. nat.)

1. *Quelques étamines détachées d'un verticille de fleurs stériles.* 2. *Une anthère coupée en travers.* 3. *portion d'un pétiole*

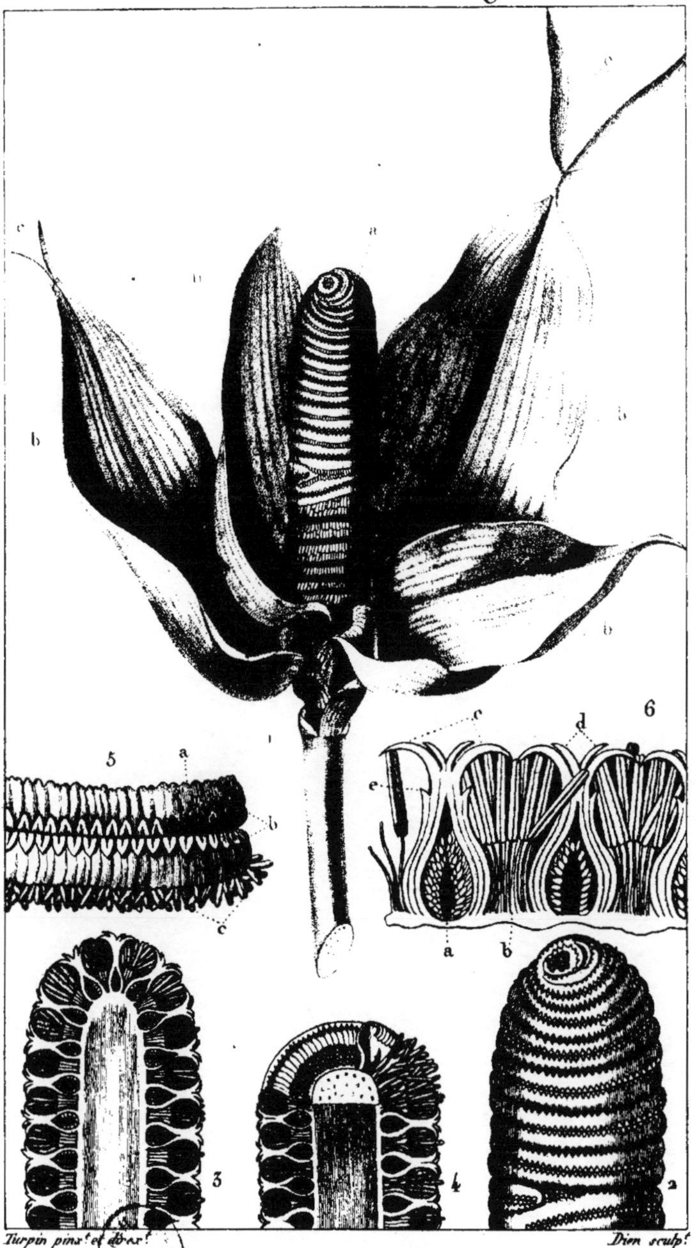

Turpin pinx.t et direx.t Dien sculp.t

CYCLANTHE à deux feuilles.

CYCLANTHUS bipartitus. *(Poit.)*

1. Spathes (Feuilles rudimentaires) et spadix réduit à la moitié de sa grand.r natur.le a. Spadix. bbbb. Spathes. cc. Rudiments de folioles. 2. Portion supérieure d'un spadix, (Grand. nat.) 3. Id. coupée dans sa longueur. 4. Id. coupée dans les deux sens. 5. Id. plus grossie. a. Calice des fleurs fertiles. b. Stigmates. c. Etamines. 6. a. Fleur fertile. b. Id. stérile. c. Calice des fleurs fertiles. d. Stigmates. e. Calice des fleurs stériles.

Turpin pinx.t et direx.t *Dien sculp.t*

PISTIE stratiote.

PISTIA stratiotes. *(Lin.)*

(1/2 Grand. nat.)

MONOCOTYLÉDONES. Pistiacées. *(Richard.)*

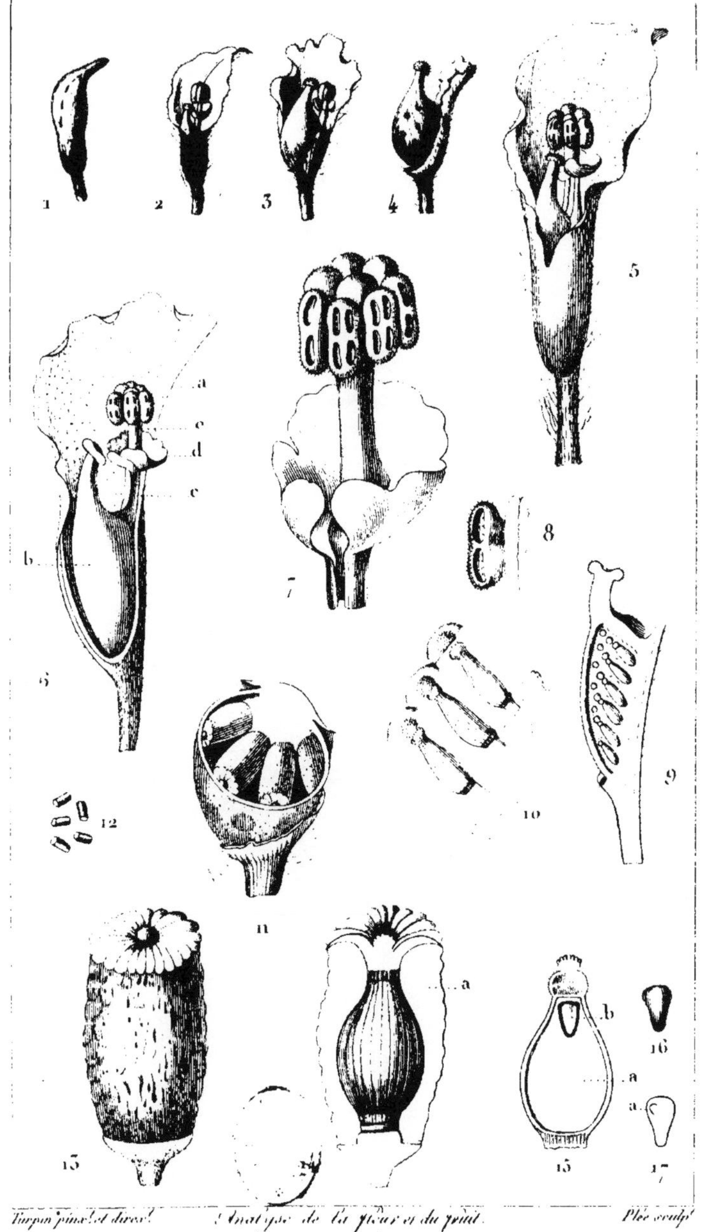

Turpin pinx.t et direx.t *Analyse de la fleur et du fruit.* *Plée sculp.t*

PISTIA stratiotes. *(Lin.)*

1. Involucre fermé, contenant 2 fleurs. 2. Id. ouvert et laissant appercevoir les fleurs. 3. Fruit commençant à grossir. 4. Fruit mûr. (ces 4 fig. sont de grand. nat.) 5. Fleurs grossies. 6. Id. dont on a coupé une partie de l'involucre pour faire voir l'origine des 2 fleurs. a. Involucre commun. b. Fleur fert.le c. Fleur stérile. d. Involucre partiel. e. Six étam.es soudées. 7. Fleur stérile isolée. 8. Une anthère. 9. Coupe verticale d'une fleur fertile. 10. Portion grossie de la précéden.te 11. Coupe horizont.le d'un fruit mûr. 12. Graines (gross. nat.) 13. Graine très grossie. 14. Id. coupe vertic.le a. Arille. 15. Graine coupée vertic.nt et dépouillée de son arille. a. Endosp.me b. Emb.on 16. Emb.on 17. Id. coupé dans sa long.r a. Gemmule.

BOTANIQUE.

MONOCOTYLÉDONES. Typhinées.

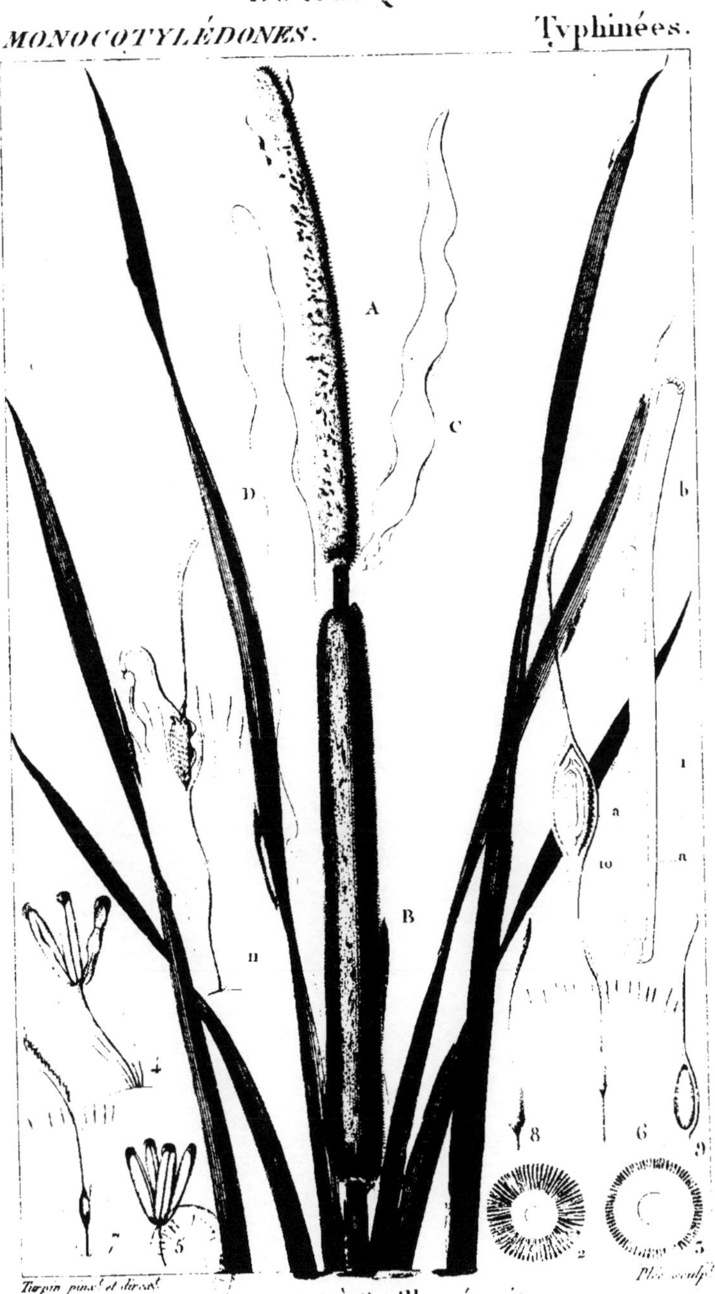

Turpin pinx.t et direx.t *Plée sculp.t*

MASSETTE à feuilles étroites.

TYPHA **angustifolia.** *(Lin.)*

(2 Grand. nat.)

A. Chaton mâle B. Id. femelle C. Spathe partielle du chaton mâle D. Spathe commune des 2 chatons 1. Partie inférieure d'une feuille a. Gaine b. Lame. 2. Coupe d'un chaton mâle 3. Id. d'un chaton fem.le 4. Etamines accompagnées de filamens stériles. 5. Id. 4 réunies par leurs filets. 6. Pistil 7. un autre. 8. Fruit. 9. le même coupé dans sa long.r 10. Id. pour faire voir l'embryon a. 11. Germination.

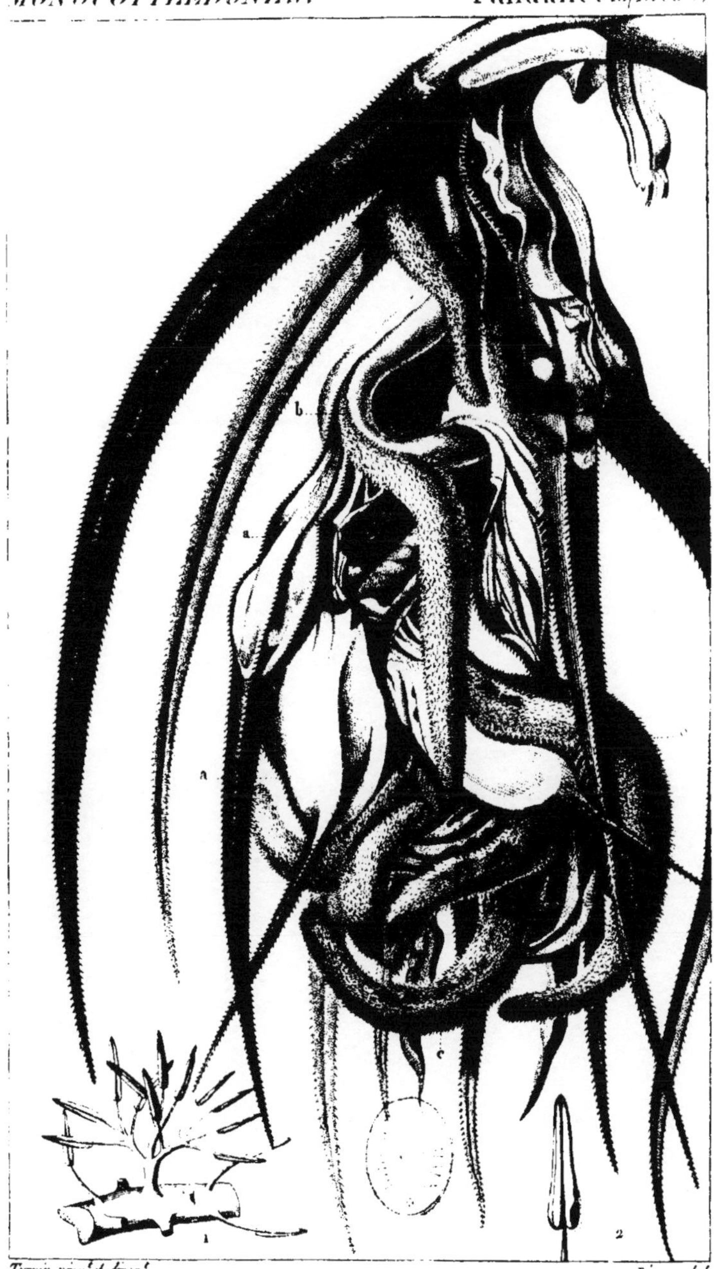

Turpin pinx.t et direx.t *Dien sculp.t*

BAQUOIS utile.

***PANDANUS* utilis.** *(Willd.)*

Fleurs mâles. (5.me Grand. nat.)

a. *Feuilles spathiformes.* b. *Spadix ou axe commun.* c. *Chatons.* 1. *Tronçon d'un chaton sur lequel on voit que les étamines sont ou simples, ou fasciculées.* 2. *Etamine répandant le pollen.*

BOTANIQUE.

MONOCOTYLÉDONES. **Pandanées.** *(Brown.)*

Turpin pinx.t et direx.t *M.me Joyeau sculp.t*

BAQUOIS utile

PANDANUS utilis *(Willden.)*

Individu femelle (5.me Grand nat.)

1. Coupe verticale d'un fruit. a. Placenta. b. Péricarpes. 2. Péricarpe, isolé. 3. Le même coupé horizontalement. a. Loges. b. Graines. 4. Graine, isolée. 5. Id. coupée dans sa longueur pour faire voir que l'embryon est situé au sommet d'un périsperme.

Turpin pinx.t et direx.t *Massard sculp.t*

SOUCHET brun.

CYPERUS fuscus *Lin.*

[illegible]

1. Épillet grossi. 2. [illegible] *de la*

fleur. 5. [illegible] *verticalement.*

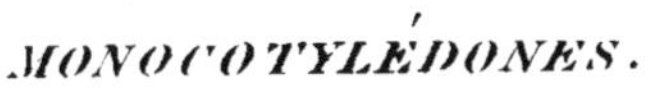
MONOCOTYLÉDONES. Cyperées.

Turpin pinx.t et direx.t *Carnonkel sculp.*

SCIRPE maritime.

SCIRPUS **maritimus.** *(Lin.)*

(Grand. nat.)

1. *Epillet grandi, coupé dans sa longueur.* 2. *Fleur composée d'un pistil, de trois étamines et de six soies.* 3. *Ecaille.* 4. *Anthère grossie.* 5. *L'une des soies.* 6. *Graine.* 7. *Id. coupée en travers.* 8. *Id. coupée verticalement.* 9. *Embryon.*

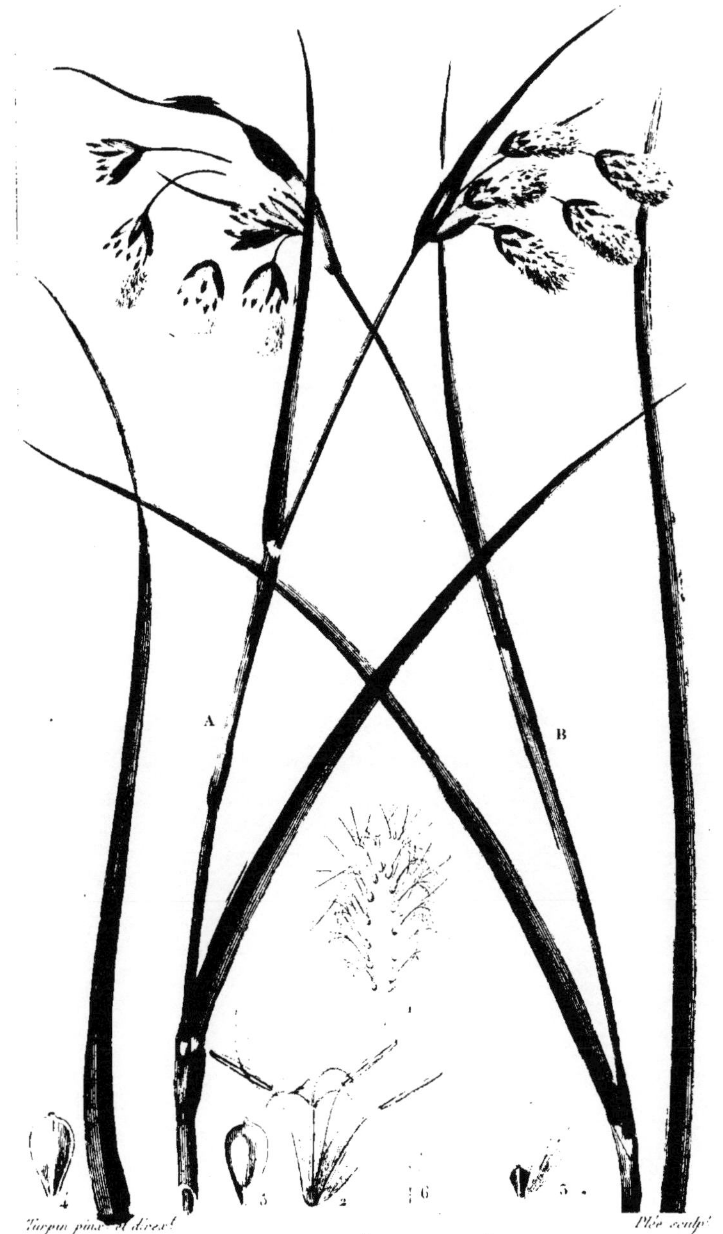

Turpin pinx. et direx. *Plée sculp.*

LINAIGRETTE à feuilles étroites.

***ERIOPHORUM* angustifòlium** *(Willd.)*

(Grand. nat.)

A. *Individu en fleur.* B. *Un autre en fruit.* 1. *Epi coupé dans sa longueur.* 2. *Fleur.* 3. *Fruit.* 4. *Id. dégagé de ses soies.* 5. *Id. coupé verticalement pour faire voir que la graine est pédicellée.* 6. *Coupe verticale d'une graine.*

BOTANIQUE.

MONOCOTYLÉDONES. Cypérées.

Turpin pinx.t et direx.t Plée sculp.t

LAICHE en gazon.

CAREX **cæspitosa** *(Lin.)*

(Grand. nat.)

1. Coupe verticale, d'un épi femelle. 2. Fleur mâle. 3. Fleur femelle. 4. Id. dont on a coupé longitudinalement l'urcéole pour faire voir le pistil. 5. Urcéole contenant un fruit mûr. 6. Coupe verticale de la même. 7. Embryon. 8. Germination. 9. Portion de feuille.

Turpin pinx.t et direx.t *Poé sculp.*

SCLÉRIE non épineuse.

***SCLERIA* mitis.** *(Berg.)*

(1/2 Grand. nat.)

1. Inflorescence stérile. 2. Id. fertile. 3. Fleur stérile. a. Id. rudiment.re 4. Fleur fertile. 5. Pistil. 6. Fruit grossi, accompagné de ses feuilles rudiment.res 7. Fruit. 8. Id. coupé verticalem.t pour faire voir la situation de l'embryon dans l'endosperme.

Turpin pinx.t et direx.t *M.e Massard sculp.t*

YVRAIE vivace.

***LOLIUM* perenne.** *(Lin.) (1/3 de Grand. nat.)*

1. *Axe commun portant deux épillets.* a. nœuds vitaux *du 1.er axe.* b. Id. *du 2.me axe.* c. Bractées *du 1.er axe. (Calices des Botanistes.* cc. Bract.s *du 2.me axe. (valves extér.res des corolles des Botan.tes)* d. Spathelles, *composées de* deux Bractéoles latérales, *nées d'un 3.me axe et soudées en leurs bords intérieurs.*
2 Fleur nue *contenue dans la* Spathelle, b. *et accompagnée d'une* Bractée, a. c. Phycostème. *Turp.*
3. *Coupe horizont.le d'une fleur, mise en rapport avec les organes de la plante qui l'accomp.ent* a. *l'axe.* b. *Bractée.* c. *Spathelle.* d. *Lobes du phycostème.* e. *Etamines.* f. *Pistil.* 4. *Fleur entière isolée.* a. *Lobes du phycost.me* 5. *Fruit de gros. nat.* 6. *Id. grossi, vu du côté du sillon.* 7. *Id. vu par le dos.* a. *Situation de l'embryon.*

BOTANIQUE.

MONOCOTYLÉDONES. Graminées.

Turpin pinx.t et direx.t

Plée Fils sculp.t

VULPIN genouillé.

ALOPECURUS geniculatus. (*Lin.*)

(*Grand. nat.*)

1. *Epillet composé de trois à quatre fleurs.* 2. *Fleur ouverte.* 3. *La même dont on a enlevé la glume.* 4. *Pistil.*

BOTANIQUE.

MONOCOTYLÉDONES. Graminées. *(Juss.)*

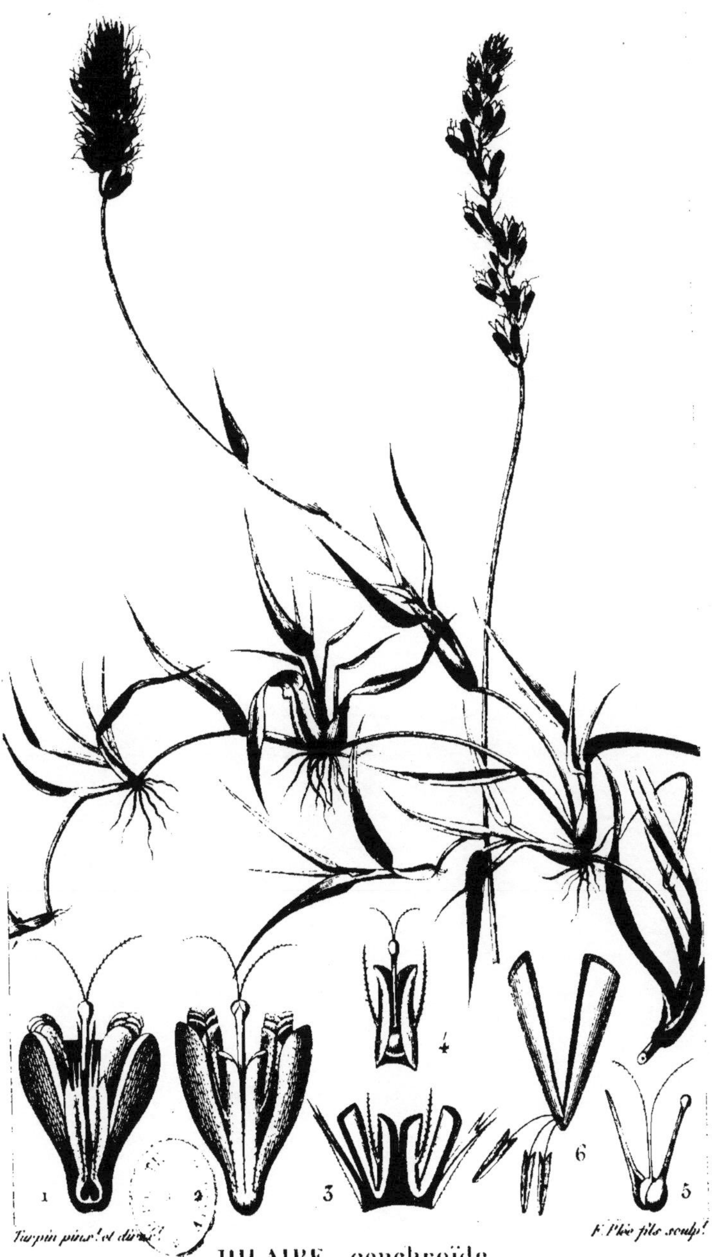

Turpin pinx.t et dirx.t *F. Plée fils sculp.t*

HILAIRE cenchroïde.

HILARIA **cenchroides.** *(Kunth in Humb.)*

(1/2 Grand. nat.)

et 2. Épillets vus par deux faces différentes. 3. Involucre. 4. Portion intermédiaire de l'involucre dans laquelle est le pistil accompagné de deux écailles inégales. 5. Pistil et ses deux écailles. 6. Fleur stérile.

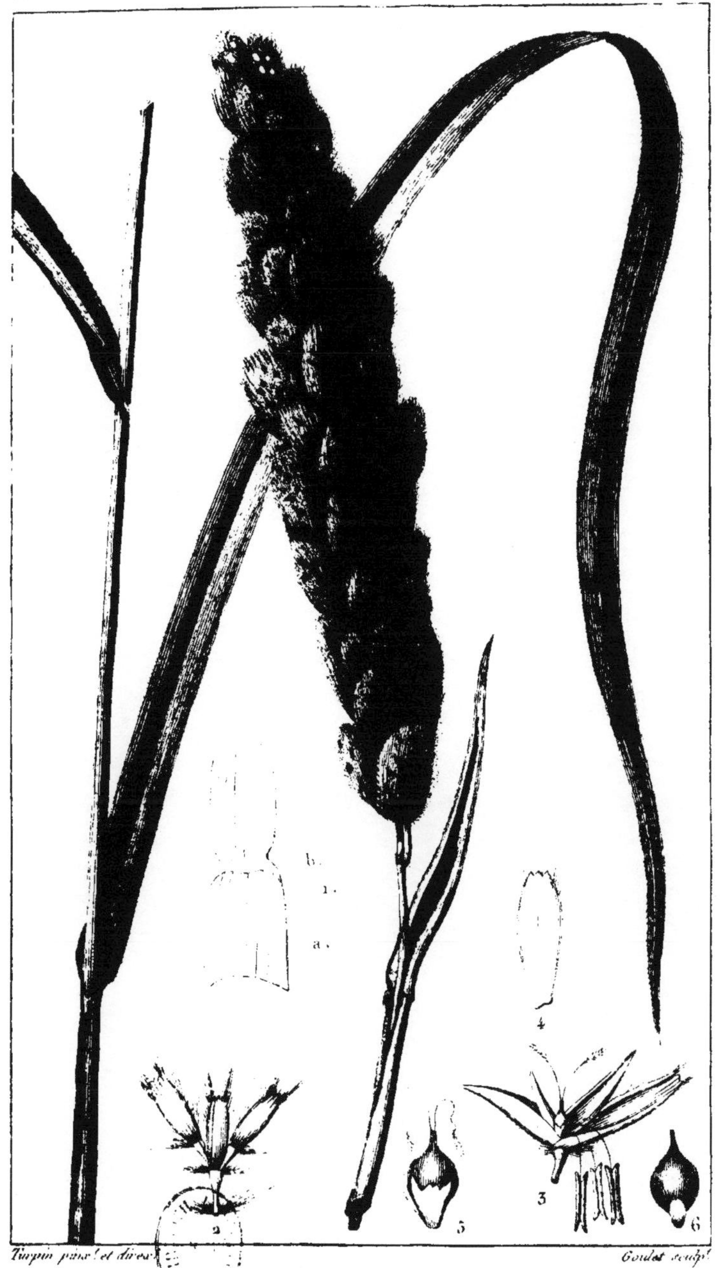

Turpin pinx.t et direx.t *Goulet sculp.t*

ERIOCHRYSIS de Cayenne.

ERIOCHRYSIS **Cayanensis.** *(Beauv.)*

(Grand. nat.)

1. *Portion de feuille.* a. *Gaine.* b. *Ligule.* c. *Lame.* 2. *Epillet triflore.* 3. *Fleur ouverte.*
4. *Valves extérieures du calice.* 5. *Ovaire accompagné de ses deux écailles.* 6. *Graine.*

BOTANIQUE.

MONOCOTYLÉDONES. Graminées. *(Juss.)*

Turpin fils pinx.t *M.lle Coignet sculp.*

UNIOLE à larges feuilles.

UNIOLA latifolia. *(Mich.x)*

(2/3 Grand. nat.)

1. *Fleur monandre accompagnée en* a. *de sa bractée et en* b. *de sa spathelle.* 2. *Id. dont on a détaché la bractée.* 3. *Id. vue de face.* a. *Spathelle.* b. *Phycostème bilamellé.* c. *Etamine.* d. *Pistil.* 4. *Fruit surmonté des styles persistants.*

Turpin pinx.t et direx.t *Plée sculp.*

AGROSTIS chevelu.

AGROSTIS capillaris. *(Lin.)*

(Grand. nat.)

1. *Portion de feuille. a. Gaine. b. Ligule. c. Lame. 2. Glume bivalve uniflore. 3. La même ouverte dans la quelle on distingue la fleur. 4. Partie d'une fleur pour faire voir en a. les deux valves du calice. b. les deux écailles. 5. Anthère. 6. Graine. (tous ces détails sont grossi.)*

BOTANIQUE.

MONOCOTYLÉDONES. Graminées.

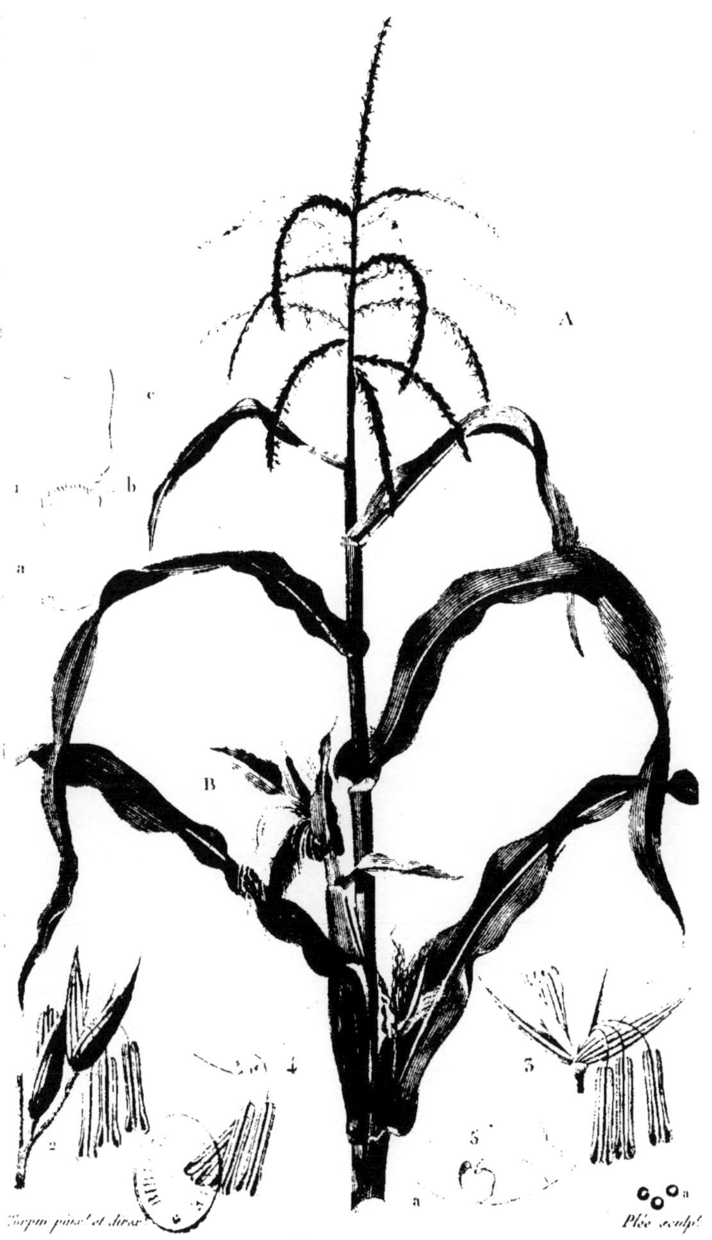

Turpin pinx.t et direx.t *Plée sculp.t*

MAÏS cultivé.

ZEA mays. *(Lin.)*

(10.ème Grand. nat.)

A. Fleurs mâles. B. Fleurs femelles. 1. Portion inférieure d'une feuille. a. Gaine. b. Ligule. c. Lame. 2. Epillets géminés. 3. Epillet biflore. a. Pollen grossi. 4. Fleur isolée. 5. Portion de la même pour faire voir les deux écailles en a.

BOTANIQUE.

MONOCOTYLÉDONES. Graminées.

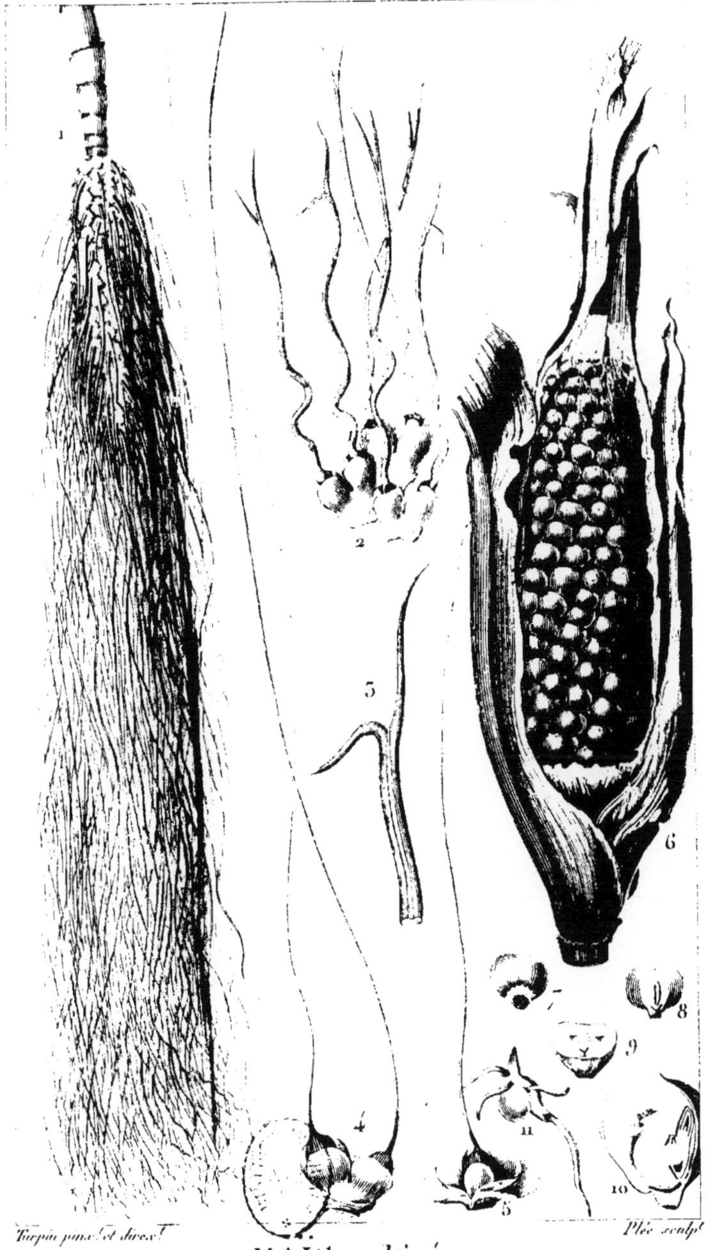

Turpin pinx.t et direx.t *Plée sculp.t*

MAÏS cultivé.

1. *Epi de fleurs femelles, dépouillé de ses tuniques.* 2. *Six fleurs femelles* géminées *très jeunes et portant chacune* deux *styles soudés dans presque toute leur long.eur* 3. *deux styles soudés, grossis.* 4. *Fleurs dans leur plus grand développement.* 5. *l'une d'elle dont on a écarté les valves calicinales.* 6. *Epi de fruits murs.* 7. *Id. isolé, vu du côté extérieur.* 8. *Id. côté inter.r* 9. *Id. coupé en travers.* 10. *Id. vertic.ent* 11. *Germination.*

Turpin pinx.t et direx.t Mme Coignet sculp.

DATTIER commun.

PHŒNIX dactylifera. (*Lin.*)

(*60.ème de Grand. nat.*)

Turpin pinx.t et direx.t *M.me Coquet sculp.*

DATTIER commun.

PHŒNIX dactylifera. *(Lin.)*

1. *Régime de fruits (6.ème de Grand. nat.)* a. *Spathe.* 2. *Fleurs mâles (Grand. nat.)* 3. *Fleurs fem.les (Grand. nat.)* 4. *Fleur mâle.* 5. *Id. ouverte.* 6. *Fleur fem.le* 7. *Id. ouverte.* a. *Etamines avortées.* b. *Ovaires.* 8. *Ovaires isolés.* 9. *Fruits (½ grand. nat.)* 10. *Fruit dont on a enlevé le calice.* a. *Ca...* b. *Ovaires avortés.* 11. *Fruit coupé dans sa long.r* a. *l'Embryon.* 12. *Graine coupée en travers.* a. *Emb.on latéral.*

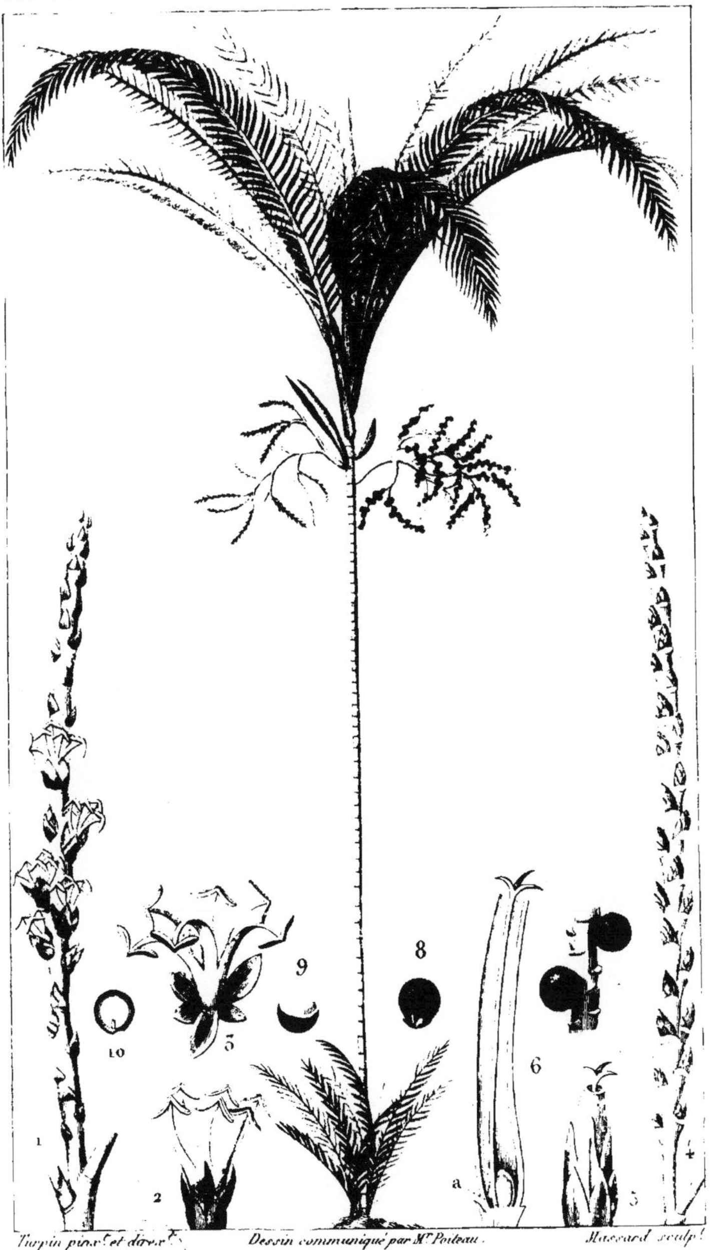

Turpin pinx.t et direx.t *Dessin communiqué par M.r Poiteau.* *Massard sculp.t*

WOUAIE élevé.

***GYNESTUM* maximum.** *(Poit. Mém. Mus. Hist. nat.)*

(20.eme grand. nat.)

1. Rameau de fleurs stériles. 2. Fleur stérile. 3. Id. ouverte. 4. Rameau de fleurs fertiles. 5. Fleur fertile. 6. Pistil entouré d'un phycostème tubulaire coupé dans sa longueur. a. Insertion latérale et basilaire du style. 7. Deux fruits. 8. Un fruit. 9. Id. coupé circulairem.t 10. Id. coupé verticalem.t afin de faire voir la situation de l'embryon.

Turpin fils pinx. Massard sculp.

DOUM de la Thébaïde.

DOUMA Thebaica. (Poir. Duh.)

CUCIFERA Thebaica. (Delile.)

(65me de Grand. nat.)

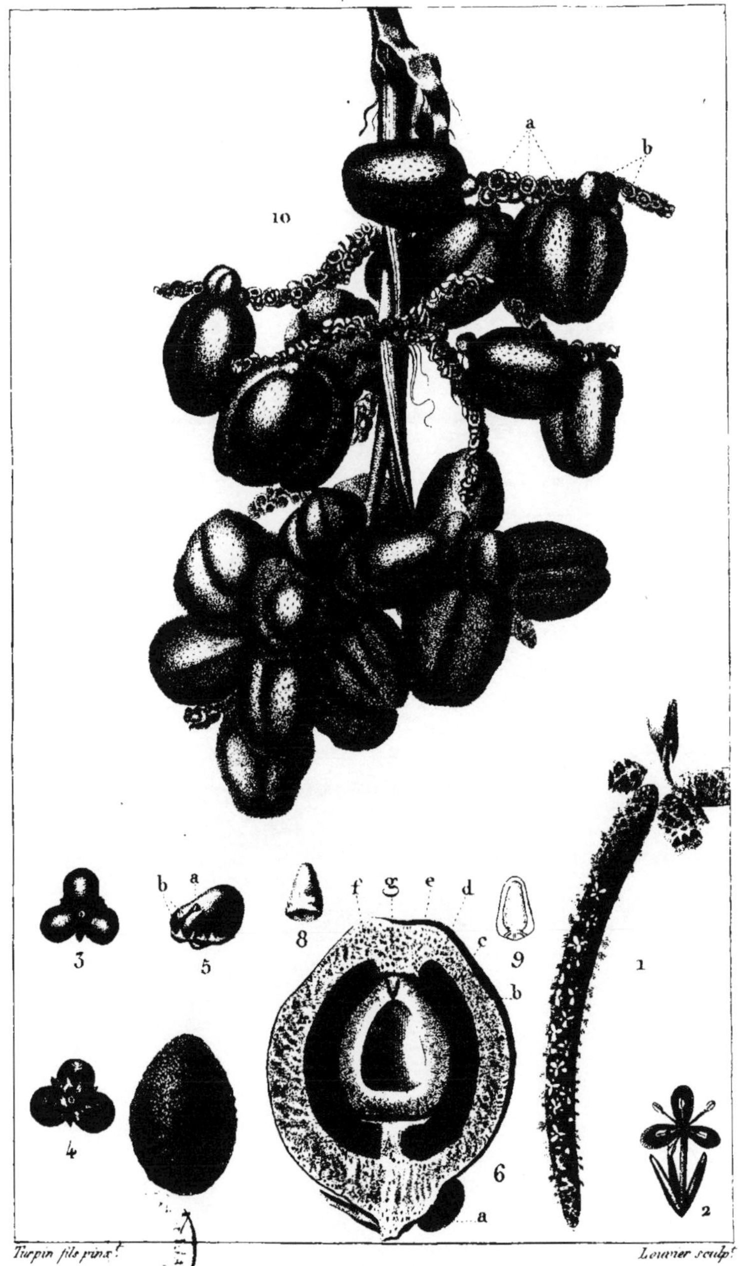

Turpin fils pinx.t *Louvier sculp.t*

DOUM de la Thébaïde.

DOUMA Thebaica. *(Poir. Dict.)*

CUCIFERA Thebaica. *(Delile.)*

(1/4 de Grand. nat.)

1. Fleurs mâles, réunies en chatons. 2. Une fleur mâle isolée et grossie. 3. Fruit resté à l'état rudiment.re 4. Id. vu en dessous. 5. Un autre dont deux lobes ont avortés. 6. Coupe verticale d'un fruit développé. 7. Une partie du fruit isolée. 8. Embryon. 9. Id. coupé dans sa longueur.

BOTANIQUE.

MONOCOTYLÉDONES. Calamées. *(Trép.)*

Turpin pinx.t et direx.t *Dessin communiqué par M.r Poiteau.* *Coignet sculp.t*

SAGOUIER farinifère.

***SAGUS* farinifera.** *(Gærtn.)*

(20.eme grand. nat.)

BOTANIQUE.

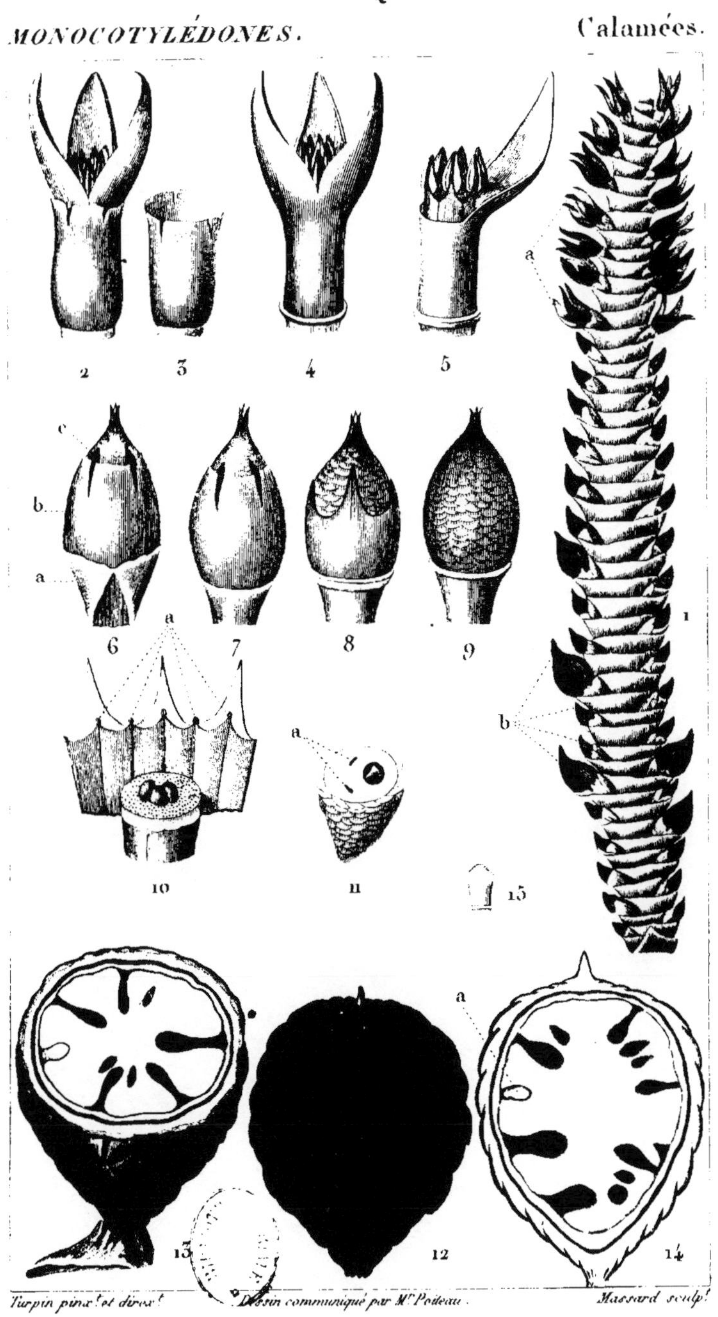

SAGUS farinifera.

1. Portion d'un régime de fleurs (grand. nat.) a. Fleurs stériles. b. Fleurs fértiles. 2. Fleur stérile. 3. Calice. 4. Fleur stérile dépouillée de son calice. 5. Id. dont on a coupé deux lobes de la corolle pour mettre à découvert les étamines. 6. Fleur fértile. a. Involucre. b. Calice. c. Corolle. 7. Id. sans involucre. 8. Id. sans calice. 9. Id. réduite au pistil. 10. Trois ovules mis à découverts. a. Six étamines rudiment.res 11. Jeune fruit. a. deux loges avortées. 12. Fruit. 13. Id. coupé horiz.ent 14. Id. coupé vertic.ent

Turpin pinx.t et direx.t *M.e Massard sculp.t*

SAGOUIER des Moluques.

SAGUS genuina. *(Labill. inéd.) Sagus officinalis. (Adanson.)*

(30.me grand. nat.)

1. *Sommet d'un rameau latéral et fructifère d'un spadix.* 2. *Une écaille ou feuille rudimentaire isolée d'un rameau latéral et contenant, dans son aisselle, deux fleurs entourées de poils.*

BOTANIQUE.

MONOCOTYLÉDONES. Calamées. *(Turp.)*

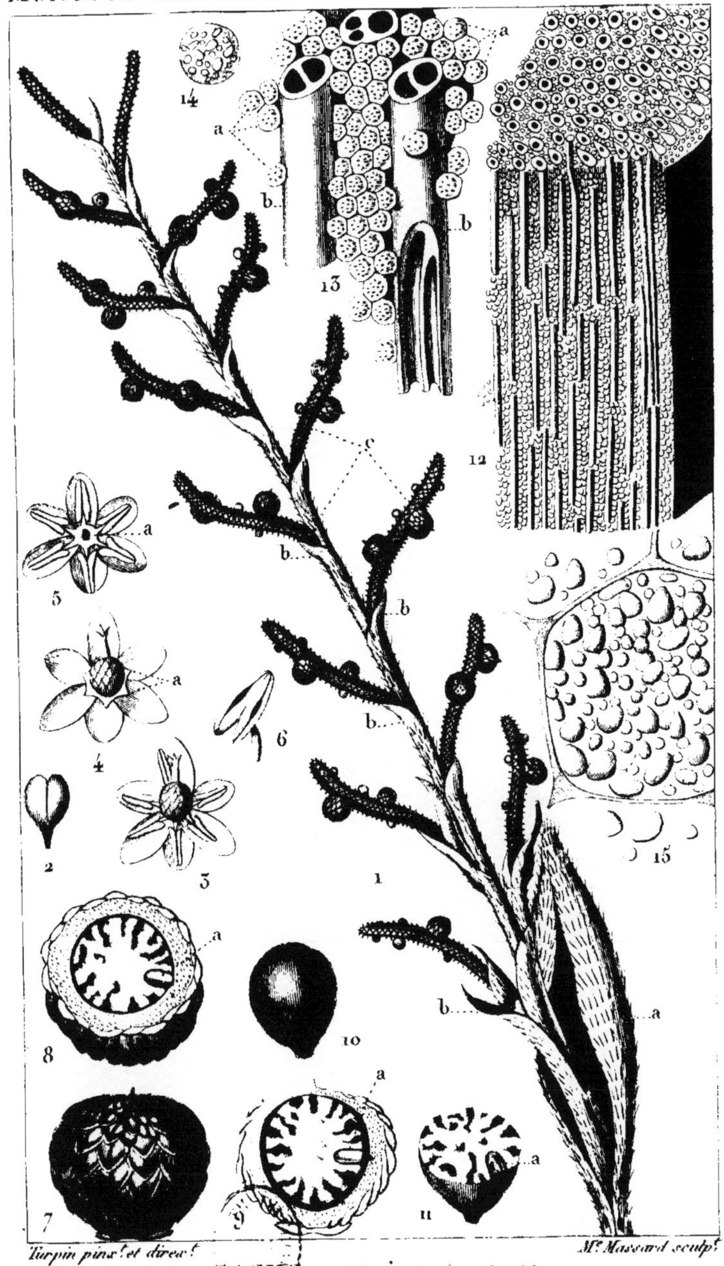

Turpin pinx.t et direx.t *M.e Massard sculp.t*

SAGUS genuina. *(Labill. inéd.)*

1. *Inflorescence.* a. *Spathe commune.* bb. *Spathes partielles.* c. *Spadix biaxifère.* 2. *Fleur avant l'anthèse.* 3. *Id. ouverte, complette et fertile.* 4. *Id. incomplette et fertile.* a. *Etamines rudimentaires.* 5. *Id. incomp.te stér.le* a. *Pistil rudim.re* 6. *Etamine.* 7. *Fruit (gros. nat.)* 8 et 9. *Id. coupés en divers sens.* a a. *Embryon.* 10. *Graine.* 11. *Id. coupée.* a. *Embryon.* 12. *Morceau du tronc.* 13. *Portion grossie.* a a. *Tissu cellulaire producteur.* bb. *Tigellules composantes, stériles. (prétendus vaisseaux.)* 14. *Une vésicule du tissu cellulaire remplie de Globuline.* 15. *Id. plus grossie, devenue anguleuse par pression, coupée et contenant de la Globuline de diverses grosseurs. (Fécule de Sagou.)*

BOTANIQUE.

MONOCOTYLÉDONES. Restiacées. *Brown*

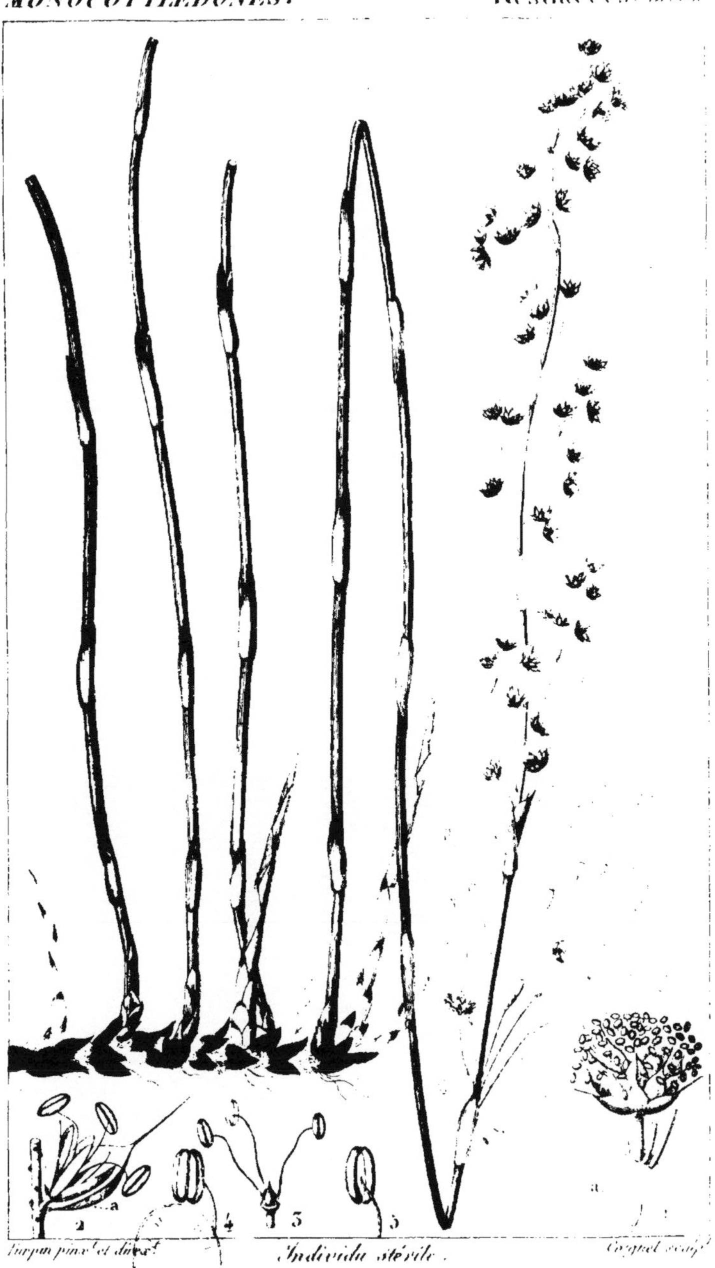

Turpin pinx.t et direx.t *Individu stérile.* Coiquet sculp.t

RESTIO à quatre folioles.
RESTIO tetraphyllus. (Labill.)
(1/2 Grand. nat.)

1. *Fleurs stériles réunies en capitule.* a. *Feuille rudimentaire.* 2. *Une fleur isolée.* a. *Feuille rudimentaire.* 3. *Pistil avorté accompagné de trois étamines.* 4. *Anthère grossie.* 5. *Idem vue par derrière.*

Turpin pinx.t et direx.t

Coignet sculp.t

Individu fertile.

RESTIO à quatre folioles.

***RESTIO* tetraphyllus. (Labill.)**

(1/2 Grand. nat.)

1. Fleurs fertiles réunies en un capitule. 2. Une fleur isolée. a. Feuille rudimentaire. 3. Id. vue dans un autre sens. 4. Id. dépourvue de sa feuille protectrice. 5. Pistil accompagné de deux étamines rudimentaires. 6. Fruit. (grand. nat.) 7. Idem grossi. 8. Id. coupé verticalement pour faire voir l'embryon.

Turpin pinx.t et direx.t *Plée sculp.*

JONC articulé. *(Grand. nat.)*

JUNCUS articulatus. *(Lin.)*

1. *Racine traçante.* 2. *Tronçon d'une feuille cylindrique fistuleuse cloisonnée.* a. *Cloisons ou diaphragmes.* 3. *Fleur.* a. *sa bractée.* 4. *Fleur ouverte.* 5. *Fruit entouré du calice persistant.* 6. *Id. ouvert et dépouillé de son calice.* 7. *Id. Coupé horizontalement afin de faire voir que ce fruit est rigoureusement uniloculaire.* 8. *Graine.* 9. *Id. Coupée dans sa longueur.* 10. *Embryon.* 11. *Germination.*

BOTANIQUE.

MONOCOTYLÉDONES. Joncinées. *(DC.)*

Turpin pinx.t et direx.t *Massard sculp.t*

CAULINIE de l'Océan.

CAULINIA Oceanica. *(DC.) Zostera Oceanica. (Lin.)*

(1/2 Grand. nat.)

1. *Portion de feuille.* a. *Pétiole.* b. *Lame.* 2. *Fleur grossie.* 3. *Etamines.* 4. *Pistil.* 5. *Etamine.* 6. *Id. vue en dedans.* 7. *Pollen.* 8. *Germination.* a. *Débris du péricarpe.* b. *Radicule propre* c. *Radicelles latérales, supplémentaires.* c. *Embryon* acotylé. 9. *Coupe horizontale de la fig. précédente.* 10. *Tissu corpusculaire de l'embryon.* 11. *Un des corpuscule isolé.*

BOTANIQUE.

MONOCOTYLÉDONES. Commélinées.

Turpin pinx.t et direx.t *Melle G. Coignet sculp.*

EPHÉMÉRINE de Virginie.

TRADESCANTIA Virginica. *(Lin.)*

1 *Calice, étamines et pistil.* 2 *Etamine grossie.* 3 *l'un des poils articulés du filament de l'étamine.* 4 *Pistil.* 5 *Fruit.* 6 *coupe horisontale du même.* 7 *Graine grossie* 8 *Id. coupée longitudinalement.* 9 *Embryon.* 10 *Germination.*

BOTANIQUE.

MONOCOTYLÉDONES. Pontédériées. (*Kunth in Humb.*)

Turpin pinx.t et direx.t *Victor sculp.t*

PONTÉDAIRE à feuilles en cœur.

PONTEDERIA cordata. (*Lin.*)

(*1/3 Grand. nat.*)

1. *Calice ouvert pour faire voir l'insertion inégale, des six étamines.* 2. *Etamine détachée.* 3. *Pistil.* 4. *Coupe horizontale d'un ovaire.*

BOTANIQUE.

MONOCOTYLÉDONES. Juncaginées. *(Rich.)*

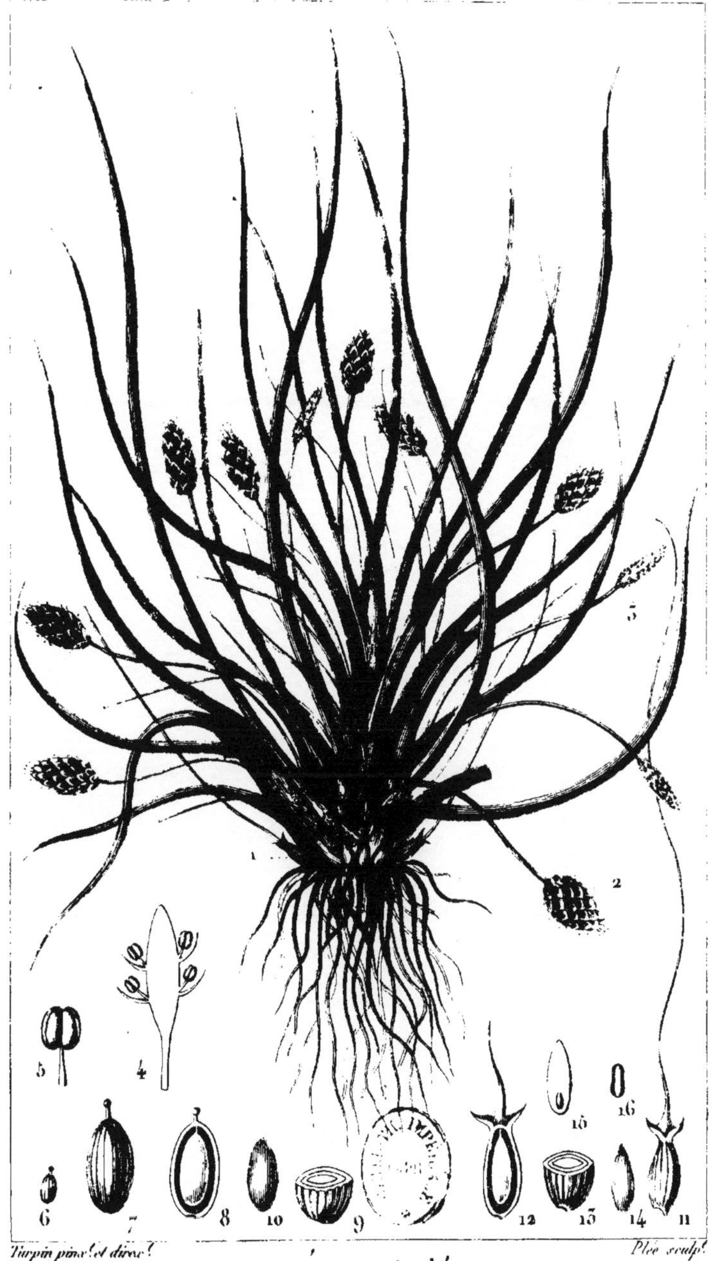

Turpin pinx.t et direx.t *Plée sculp.t*

LILÉE subulée.

LILÆA subulata. *(Humb. et Bonpl.) (1/2 Grand. nat.)*

1. Fleur fertile, solitaire. 2. Fleurs fertiles rassemblées en épi. 3. Fleurs stériles, staminifères, réunies en épi. 4. Coupe verticale d'un épi de fleurs stériles. 5. Étamine grossie. 6. Fleur fertile isolée d'un épi. 7. Fruit. 8. Id. coupé pour faire voir que la graine est attachée au sommet du péricarpe. 9. Id. coupé en travers. 10. Graine. 11. Une des fleurs fertiles solitaires. 12. Fruit coupé verticalement. 13. Id. coupé horizont.ent 14. Graine. 15. Id. coupée dans sa longueur. 16. Embryon isolé.

BOTANIQUE.

MONOCOTYLÉDONES. Eriocaulées. *(Kunth.)*

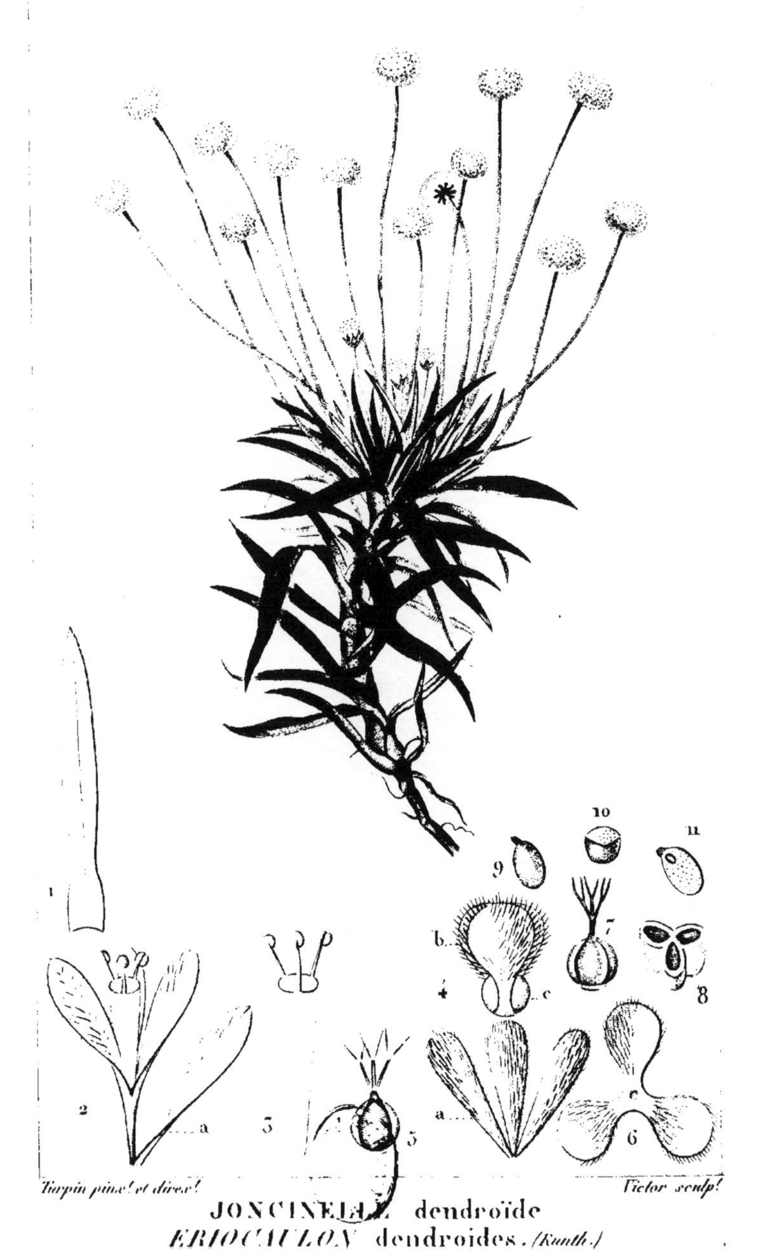

JONCINELLE dendroïde

ERIOCAULON dendroides. *(Kunth.)*

(Grand. nat.)

1. *Feuille.* 2. *Fleur stérile.* a. *Feuille rudimentaire à l'aisselle de laquelle est née la fleur.* 3. *Tube staminifère.* 4. *Fleur fertile.* a. *Calice ou involucre.* b. *Calice ou corolle.* c. *Ovaire.* 5. *Pistil.* 6. *Corolle.* 7. *Fruit.* 8. *Id. coupé.* 9. *Graine.* 10. *Id. coupée horizontalement.* 11. *Id. coupée verticalement.*

BOTANIQUE.

MONOCOTYLÉDONES. Podostémées. *(Rich.)*

Turpin pinx.t et direx.t *Massard sculp.t*

MARATHRE à feuilles de fenouil.

MARATHRUM **fœniculaceum.** *(Humb. et Bonpl.)*

(1/2 Grand. nat.)

1. *Fleur entière.* a. *Spathe.* b. *Calice.* c. *Etamines conniventes.* d. *Pistil.* 2. *Fleur isolée de sa spathe, ouverte.* 3. *Péricarpe ouvert, pour faire voir que les graines sont attachées sur une cloison parallèle aux valves.* 4. *Graine grossie.*

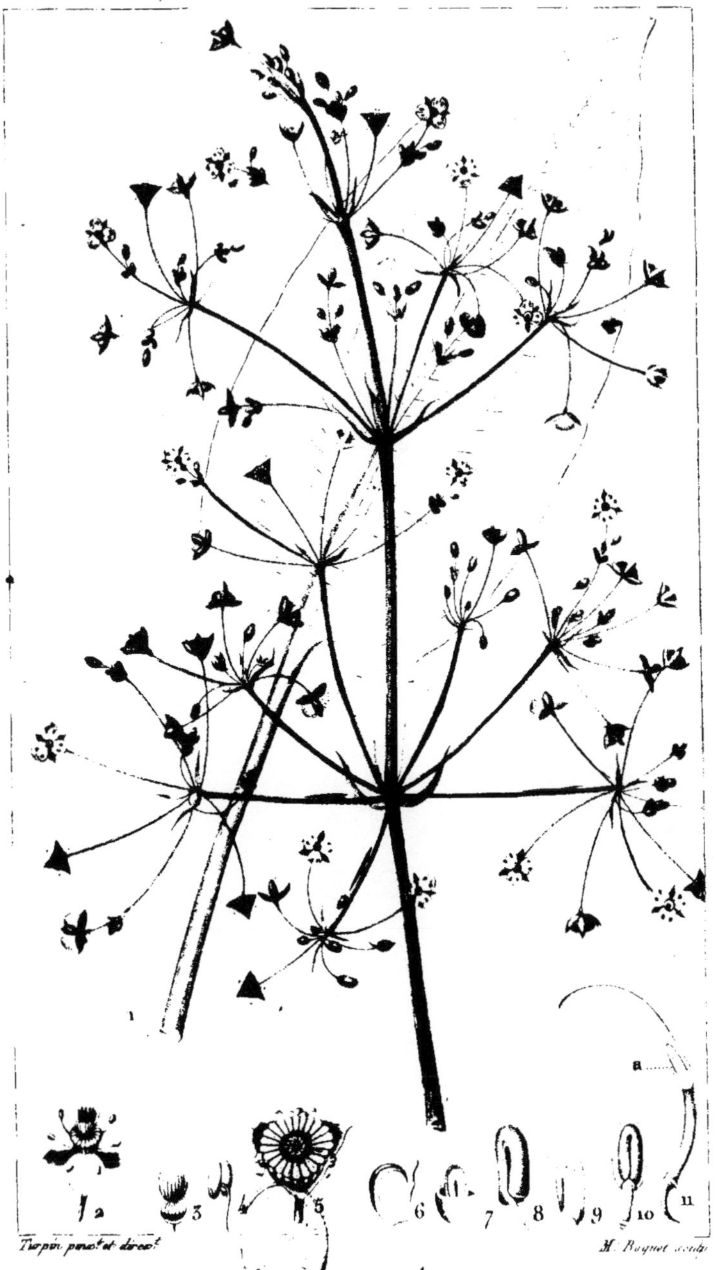

Turpin pinx.t et direx.t *M. Boquet sculp.*

PLANTAIN-D'EAU.

ALISMA plantago. *(Lin.)*

1. *Feuille radicale*. 2. *Fleur de grandeur naturelle*. 3. *Pistils*. 4. *Étamine grossie*. 5. *Fruit*. 6. *Capsule isolée*. 7. *la même coupée pour faire voir la graine*. 8. *Graine*. 9. *Embryon*. 10. *Graine en germination*. 11. *Jeune plante coupée dans sa longueur pour faire voir en* a. *la plumule*.

Turpin pinx.t et direx.t *M.elle G. Coignet sculp.*

BUTOME à Ombelle.

BUTOMUS Umbellatus. *(Lin.)*

1 *Fleur entière de grandeur naturelle.* 2 *Pistils.* 3 *Capsules.* 4 *les mêmes coupées horisontalement.* 5 *Capsule détachée.* 6 *Graine grossie.* 7 *Coupe longitudinale de la même.* 8 *Id. commencant à germer.* 9 *Id. plus avancée.* 10 *Portion de feuille.*

Turpin pinx.t et direx.t *Prudhon sculp.t*

COLCHIQUE d'automne.

COLCHICUM autumnale. *(Lin.)*

a. *Etat dans lequel on voit cette plante vers la fin de l'automne.* b. *La même au printems suivant.* 1. *Pistil.* 2. *Corolle ouverte pour faire voir l'insertion des 6 étamines.* 3. *Etamine grossie.* 4. *Capsules coupées horisontalem.ent* 5. *Graine.* 6. *Graine grossie.* 7. *La même coupée dans sa longueur.* 8. *Embryon.*

BOTANIQUE.

MONOCOTYLÉDONES. Colchicées. *(nc.)*

Turpin pinx.t et direx.t *M.e Massard sculp.t*

VARAIRE sabadille.

***VERATRUM* sabadilla.** *(Retz.)(Orfilea Desc.)*

(½ Grand. nat.)

1. Individu entier très réduit. 2. Fleur de grand. nat. 3. Etamine. 4. Fruit. 5. Id. dont le péricarpe est plus ouvert. 6. Péricarpe coupé horizontalem.t 7. Une valve dans laquelle sont trois graines. 8. Une graine. 9. Id. grossie. 10. Id. coupé verticalement, pour faire voir la situation de l'Embryon.

BOTANIQUE.

MONOCOTYLÉDONES. Asparaginées.

Turpin pinx.t et direx.t *Plée sculp.*

ASPERGE Commune.

ASPARAGUS Officinalis *(Lin.)*

1 *Rameau chargé de 2 fleurs.* 2 *Pistil.* 3 *Calice ouvert.* 4 *Fruit coupé horisontalement.* 5 *Graine grossie.* 6 *la même coupée verticalement.* 7 *Graine en germination.*

Turpin pinx.t et direx.t *Monsaldi sculp.t*

TRILLIUM rhomboïdal.

TRILLIUM rhomboideum. *(Mich.x)*

(1/2 Grand. nat.)

1. *Etamines et pistil.* 2. *Fruit coupé horizont.nt* 3. *Graine.* 4. *Id. coupée dans sa longueur pour faire voir que l'embryon est situé à la base d'un endosperme.*

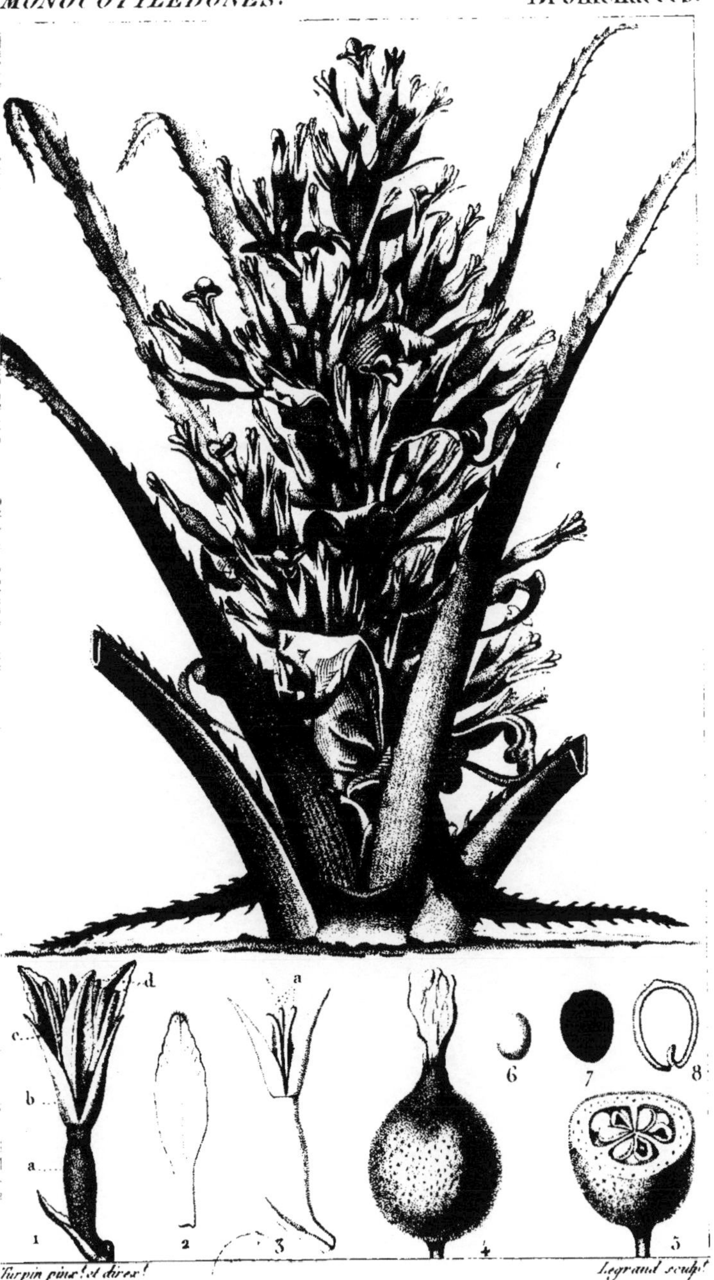

Turpin pinx.t et direx.t *Legrand sculp.t*

ANANAS sauvage.

BROMELIA pinguin. *(Lin.)*

(8.eme de Grand. nat.)

1. Fleur accompagnée de sa bractée. a. Ovaire. b. Calice. c. Corolle. d. Etamines. 2. Pétale. 3. Ovaire et calice. a. Styles. 4. Fruit. 5. Id. coupé horizont.t triloculaire par simple rapprochement des trophospermes. 6. Graine enveloppée d'un arille complet. 7. Id. dépouillée de son arille. 8. Id. coupée pour faire voir la situation de l'embryon dans le périsperme.

BOTANIQUE.

MONOCOTYLÉDONES. Dioscorées. (Brown.)

Turpin pinx.t et direx.t *Massard sculp.t*

RAÏANE en cœur.

RAJANIA cordata. (*Lin.*)

(*1/2 Grand. nat.*)

A. Individu fertile. B. Individu stérile. 1. Fleur stérile, grossie. 2. Id. vue de face. 3. Fleur fertile. 4. Coupe horizontale d'un ovaire. 5. Fruit dont on a déchiré une portion du péricarpe pour faire voir la graine. 6. Graine. 7. Graine coupée verticalement : [illegible] l'embryon.

BOTANIQUE.

MONOCOTYLÉDONES. Asphodélées. *(Juss.)*

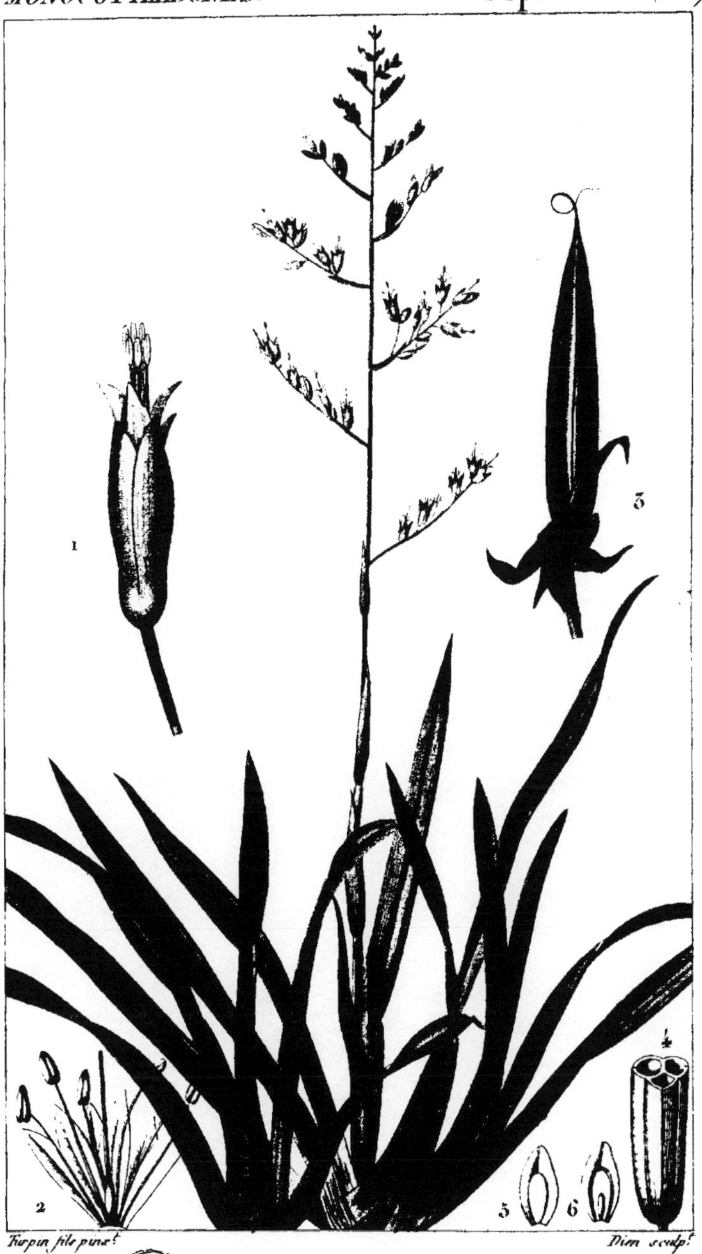

Turpin fils pinx.t *Dien sculp.t*

LIN de la Nouvelle Hollande.

PHORMIUM tenax. *(Forster.)*

(12.me de Grand. nat.)

1. *Fleur entière.* 2. *Calice ouvert pour faire voir le pistil et les étamines.* 3. *Fruit.* 4. *Id. coupé horizontalement.* 5. *Graine.* 6. *Id. coupée verticalement.*

BOTANIQUE.

MONOCOTYLÉDONES. Hémérocallidées. *(Brown.)*

HÉMÉROCALE bleue.

HEMEROCALLIS cœrulea. *(Vent.)*

(1/3 de Grand. nat.)

1. *Pistil, calice et étamines.* 2. *Anthère grossie.* 3. *Fruits.* 4. *Fruit.* 5. *Idem coupé horizontalement.* 6. *Graine.* 7. *Id. coupée verticalement pour faire voir le double tégument.* 8. *Id. pour faire voir l'embryon.* 9. *Embryon.*

BOTANIQUE.

MONOCOTYLÉDONES. Amaryllidées. *(Brown.)*

Turpin fils pinx.t (Mort le 21 aout 1821, agé de 18 ans et 6 jours.) *M. Joyeau sculp.t*

AMARILLIS réticulée.

***AMARYLLIS** reticulata. (Ait.)*

(½ Grand. nat.)

1. Fleur dont on a ouvert le calice pour faire voir le style, le stigmate et l'insertion des six étamines. 2. Etamine grossie.

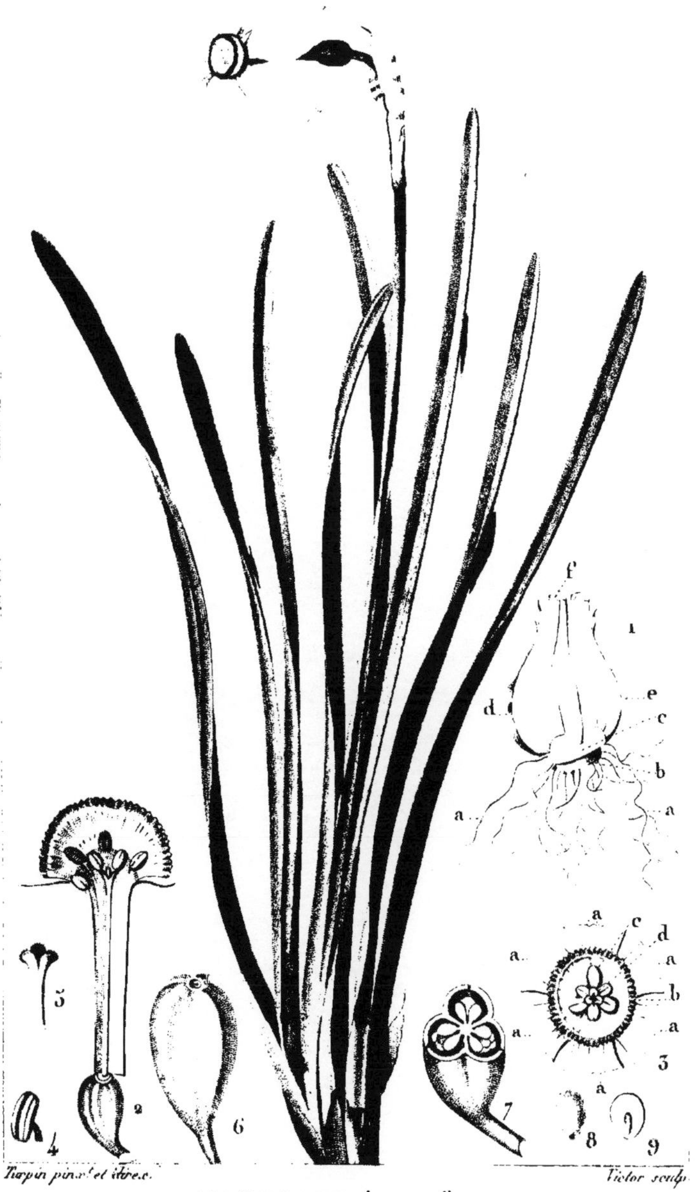

Turpin pinx.t et direx. *Victor sculp.*

NARCISSE des poëtes. *(½ Grand. nat.)*

***NARCISSUS* poeticus.** *(Lin.)*

1. *Coupe verticale d'un bulbe ou oignon, dans la quelle on distingue en* a. *les racines.* b *Troncature de la racine pivotante.* c. *Tige traçante, souterraine (Plateau)* d. *bulbe florifère.* e. *jeune bulbe.* f. *Hampe.* 2. *Pistil et calice ouvert* 3. *le même vue en plan dans le quel on voit en* a. *les six divisions coupées.* b. *le nectaire.* c. *les anthères.* d. *les trois stigmates.* 4. *Etamine.* 5. *Stigmates.* 6. *Fruit.* 7. *le même coupé en travers.* 8. *Graine.* 9. *Id. coupée dans sa longueur.*

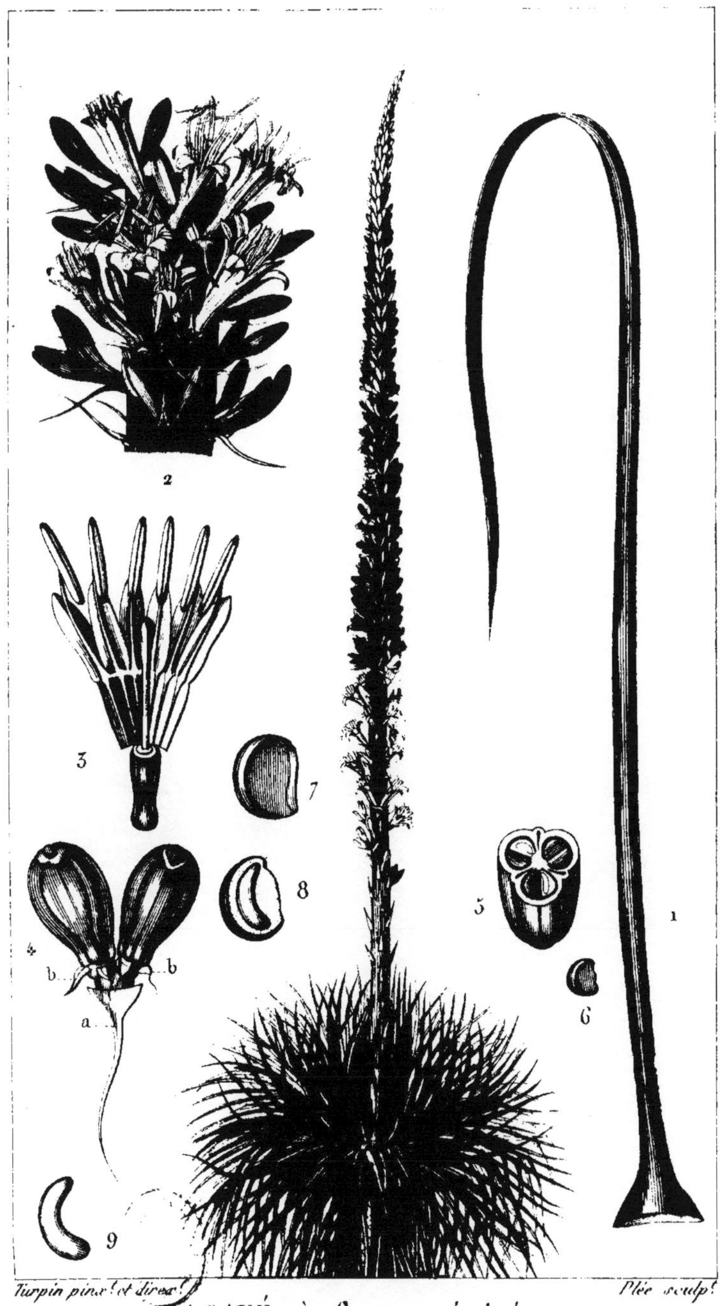

Turpin pinx.t et direx.t *Plée sculp.t*

AGAVÉ à fleurs géminées.

AGAVE geminiflora. *(Desf.)*

(15.e grand. nat.)

1. *Feuille.* 2. *Portion de hampe avec plusieurs fleurs. (1/4 grand.)* 3. *Fleur dont on a ouvert le calice pour faire voir l'insertion des 6 étamines (1/2 grand.)* 4. *Fruits géminés.* a. *Feuille rudiment.re* bb. *Id. dépendantes d'un axe plus jeune (grand. nat.)* 5. *Fruit coupé.* 6. *Graine.* 7. *Id. grossie.* 8. *Id. coupée pour faire voir l'embryon.* 9. *Embryon isolé.*

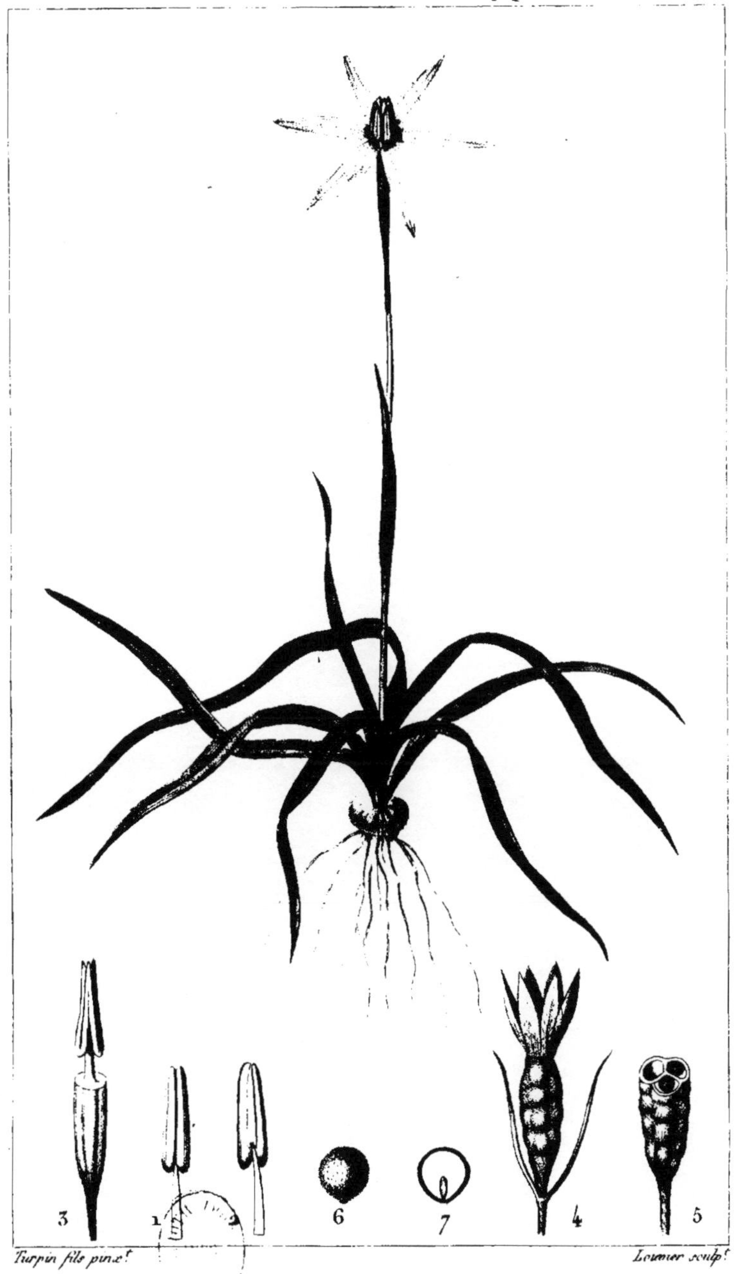

Turpin fils pinx.t *Loumer sculp.t*

HYPOXIS étoilé.

***HYPOXIS* stellata.** *(Lin. suppl.)*

(1/3 de Grand. nat.)

1. *Etamine.* 2. *Id. vue par le dos.* 3. *Pistil.* 4. *Fruit.* 5. *Id. coupé en travers.* 6. *Graine.* 7. *Id. coupée verticalement. Ces quatre dernieres figures appartiennent à* l'Hypoxis *decumbens.*

BOTANIQUE.

MONOCOTYLÉDONES. Liliacées.

Turpin pinx. et direx. *Plée sculp.*

FRITILLAIRE impériale.

FRITILLARIA imperialis *(Lin.)*

1 *Pistil et étamines.* 2 *l'une des 6 parties du calice.* 3 *Fruit.* 4 *le même tel qu'il s'ouvre dans la maturité.* 5 *Graine.* 6 *la même coupée horisontalement.* 7 *idem coupée longitudinalement.* 8 *Embryon grossi.*

Turpin pinx.t et direx.t *M.me Joyeau sculp.t*

TULIPE sauvage.

TULIPA sylvestris *(Lin.)*

(½ Grand nat.)

1. *Oignon.* 2. *Etamines et pistil.* 3. *Etamine, isolée.* 4. *Pistil.* 5. *Fruit.* 6. *Le même, coupé horizontalement.* 7. *Graine.* 8. *id. coupée dans sa longueur.* 9. *Embryon.*

Turpin pinx.t et direx.t *Massard sculp.t*

WACHENDORFE en thyrse.

***WACHENDORFIA* thyrsiflora.** *(Lin.)*

(½ Grand. nat.)

1. Pistil. 2. Calice détaché et étamines. 3. Fruit. 4. Id. coupé horizontalement. 5. Graines. 6. Id. coupée verticalement. 7. Embryon isolé.

BOTANIQUE.

MONOCOTYLÉDONES. Xyridées. *(Brow.)*

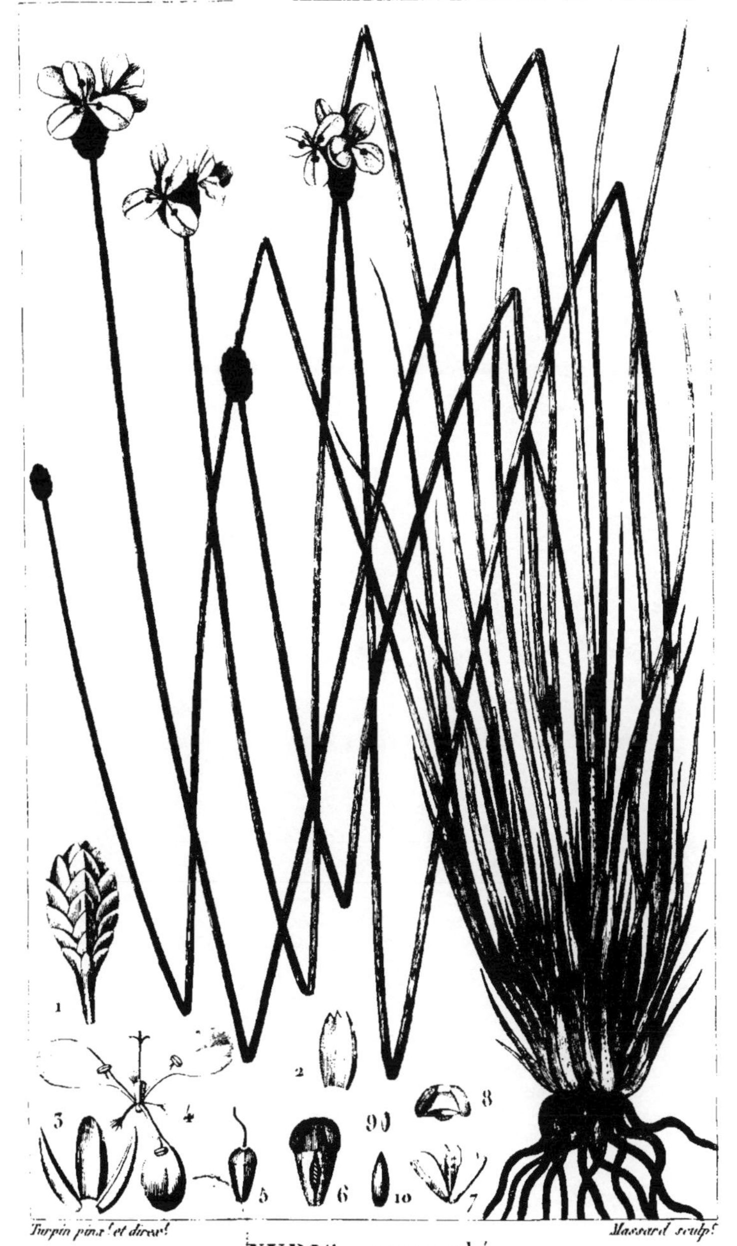

Turpin pinx.t et direx.t *Massard sculp.t*

XYRIS operculé.

XYRIS operculata. *(Labill. nov. Holl.)*

(2/3 Grand. nat.)

1. *Capitule.* 2. *Ecaille.* 3. *Folioles calicinales.* 4. *Corolle, étamines, phycostèmes et pistil.* 5. *Fruit.* 6. *Id. grossi.* 7. *Partie inférieure du péricarpe.* 8. *Partie supérieure, operculaire.* 9. *Graine gross. nat.* 10. *Id. grossie.*

Turpin pinx.t et direx.t Prudhon sculp.t

IRIS germanique.

IRIS germanica (Lin.)

(1/3 de grandeur nat.)

1. *Pistil.* 2. *l'un des stigmates vu de face.* 3. *Etamine insérée à la base de la division barbue.* 4. *Deux fruits dont un ouvert.* 5. *Fruit coupé horizontalement.* 6. *Graine.* 7. *La même coupée verticalement.* 8. *Embryon.*

Turpin pinx. et direx. *Massard sculp.*

FERRARE ondulée.

FERRARIA undulata. *Lin.*

1/2 grand. nat.

1. Fleur dépouillée de son calice. 2. Tube staminifère ouvert et isolé de la fleur. 3. Pistil. 4. Ovaire coupé horizontalem.t 5. Fruit mûr. 6. Id. coupé horizontalem.t 7. Graine. 8. Id. coupé verticalem.t 9. Embryon isolé.

BOTANIQUE.

MONOCOTYLÉDONES. Iridées. (Juss.)

Turpin pinx! et pinx! Massard sculp!

BERMUDIENNE à réseau.

SISYRINCHIUM striatum. (Smith.)

(1/2 Grand. nat.)

1. Calice ouvert pour faire voir l'insertion des trois étamines. 2. Tube staminifère ouvert. 3. Pistil. 4. Fruit. 5. Id. coupé horizontalement. 6. Graines. 7. Une graine grossie. 8. Id. coupée verticalement. 9. Embryon isolé.

Turpin pinx.t et direx.t *Dien sculp.t*

STRÉLITZIA de la Reine

STRELITZIA Reginæ.

(20.ème Grand. nat.)

BOTANIQUE.

MONOCOTYLÉDONES. Bananiers. *Juss.*

Turpin pinx.t et direx.t *Analyse de la fleur.* *Victor sculp.t*

STRÉLITZIA de la Reine.

STRELITZIA Reginæ.

(1/3 Grand. nat.)

1 *Fleur entière.* 2 *Id. dépouillée de son calice.* 3 *Pistil et étamines.*

Turpin pinx.t et direx.t *M.lle Joyeau sculp.*

BANANIER figue.

MUSA sapientum. *(Lin.)*

(30.ème de Grand. nat.)

a. *Régime chargé de fruits.* b. *Popote ou bourgeon conique composé d'un grand nombre de spathes, sous chacune desquelles se trouve une patte de fleurs.*

1. et 2. *Jeune bananiers.* a. *Feuille roulée en cornet.*

BOTANIQUE.

MONOCOTYLÉDONES. Bananiers.

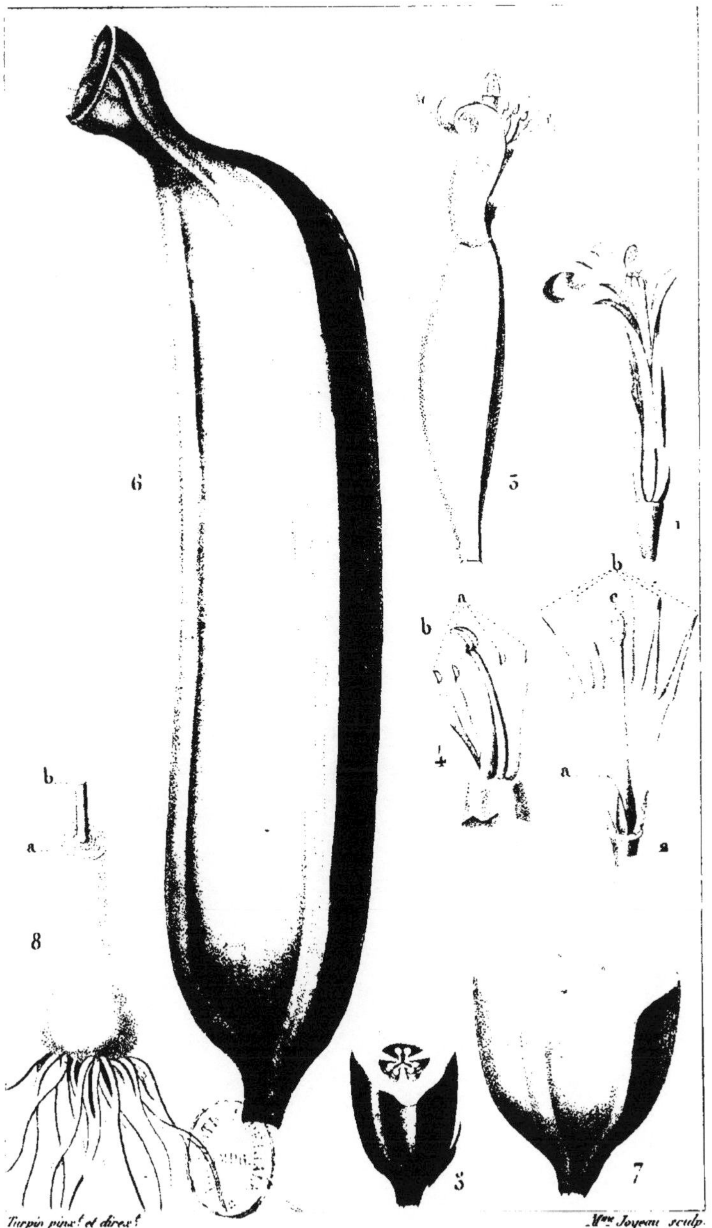

Turpin pinx.t et direx.t *M.me Joyeau sculp.*

BANANIER à fruit long.

MUSA paradisiaca. *(Lin.)*

(1/2 Grand. nat.)

1. *Fleur mâle.* 2. *la même dépouillée de son calice.* a. *Rudiment d'une sixième étamine.* b. *Etamines fertiles.* c. *Stigmate stérile.* 3. *Fleur femelle.* 4. *la même dépouillée de son calice.* a. *Etamines stériles.* b. *Stigmate fertile.* 5. *Coupe d'un jeune fruit dans laquelle on voit encore les ovules et leur disposition.* 6. *Fruit mûr.* 7. *Coupe du même.* 8. *Faux tronc, très réduit.* a. *Pétioles roulés.* b. *Hampe.*

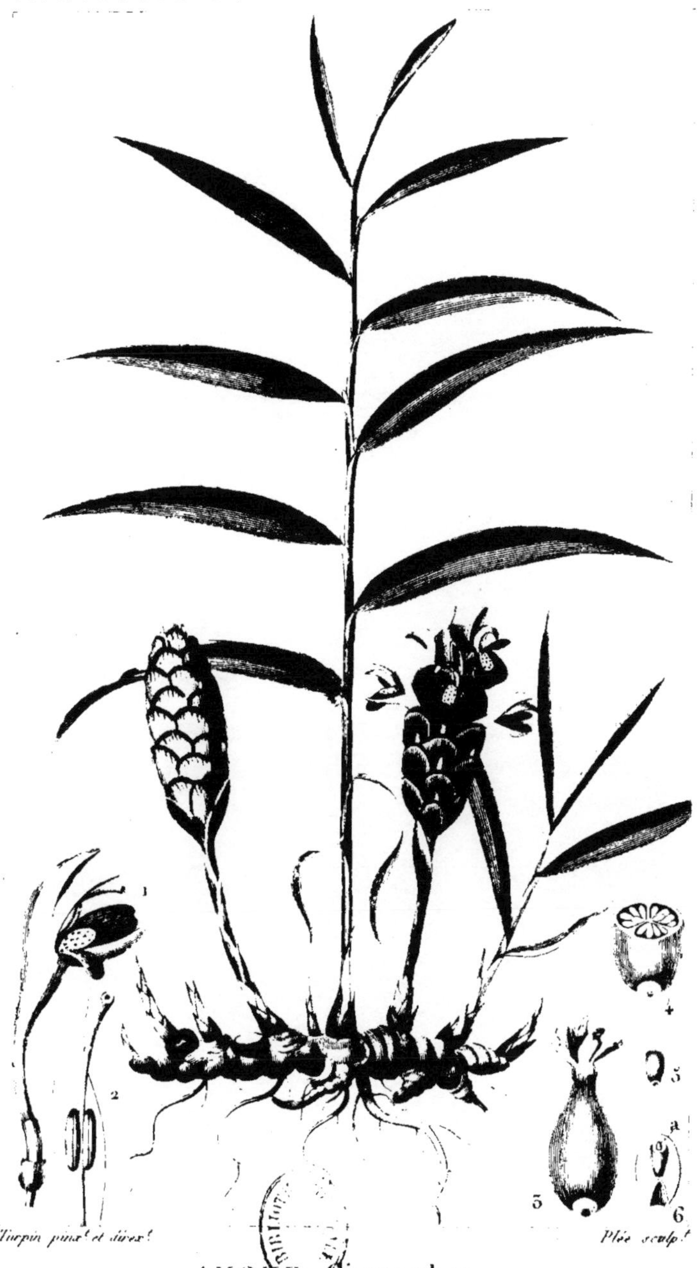

Turpin pinx.t et direx.t *Plée sculp.t*

AMOME. Gingembre.

AMOMUM Zingiber. *(Lin.)*

(1/4 de grand. nat.)

1. *Fleur entière de grandeur naturelle.* 2. *Ligule anthérifère et style.* 3. *Fruit.* 4. *Le même coupé horizontalement.* 5. *Graine.* 6. *La même grossie et coupée dans sa longueur pour faire voir en* a. *l'embryon.*

BOTANIQUE.

MONOCOTYLÉDONES. Cannées. *(Juss.)*

Turpin fils pinx. *Plée sculp.*

BALISIER flasque. *(2/5me Grand. nat.)*

CANNA flaccida. *(Salisb.)*

1. *Ovaire soudé avec la base des folioles calicinales.* 2. *Corolle ouverte.* 3. *Fruit.* 4. *Id. coupé horiz^ent.* 5. *Graine.* a. *Embryotége operculaire.* 6. *Graine coupée dans sa long^ent.* a. *Embryon.* 7. *Embryon grossi.* a. *Coléorhize ou étui de la radicule.* b. *Radicule.* c. *Gemmule ou bourgeon terminal de l'Embryon.* d. *Feuille cotylédonaire.* 8. *1er dévelop^ent d'un jeune individu.* a. *Tunique de la graine contenant encore l'Endosperme et le cotylédon.* b. *Opercule soulevé.* c. *Base du cotylédon.* d. *Radicule tronquée.* e. *Feuille* primordiale des auteurs. *(Les Fig. 3, 4, 5, 6, 7 et 8, appart^ent au* Canna *Indica.)*

Turpin pinx.t et direx.t *Monsaldi sculp.t*

SABOT à fleurs jaunes.

***CYPRIPEDIUM* flavescens.** *(Redouté.)*

(1/2 Grand. nat.)

1. *Style et étamines soudés ensemble.* 2. *Les mêmes organes vus par derrière. Fig. 1 et 2. a. Deux étamines latérales; celles qui restent rudimentaires dans la plupart des orchidées. b. Étamine terminale, rudimentaire; celle qui se développe dans presque toutes les espèces de cette famille. c. Stigmate.*

BOTANIQUE.

MONOCOTYLÉDONES. Orchidées.

Turpin pinx. et direx. *Plée sculp.*

OPHRISE apifère.

OPHRYS apifera.

1 *Etamines et pistil grossis.* 2 *Masse de pollen.* 3 *Fruit de grosseur naturelle.* 4 *le même coupé horizontalement.*

Turpin pinx.t et direx.t Plée sculp.t

ELLÉBORINE à larges feuilles.

EPIPACTIS latifolia. (*Swartz*)

1 Columelle et le labelle. 2 Columelle. a l'anthère. b masse de pollen. c étamines avortées. d les trois lobes du stigmate. e cavité exutoire. 3 Columelle vue par derrière. 4 Masses de pollen. 5 Boëte de l'anthère. 6 Fruit. 7 le même dépourvu de ses trois battans.

Turpin pinx. et direx. *Gelée sculp.*

EPIPACTIS nid-d'oiseau.

EPIPACTIS nidus-avis. *Ophrys nidus-avis.*

(Grand. nat.)

2. *Labelle, pistil et anthère.* 3. a *Labelle* b. *Style* ...

... *thère.* 5. *Anthère* 6. *Fruit* ...

Turpin pinx.t et direx.t *Massard sculp.t*

ANGREC de Chine.

EPIDENDRUM sinense. *(Andr.)*

(1/2 Grand. nat.)

1. *Pistil et étamines.* a. *Ovaire.* b. *Style et trois étamines soudés en un seul corps.* c. *Etamines rudimentaires.* d. *Etamine anthérifère.* e. *Stigmate.* 2. *Fruit coupé horizontalem.t* 3. *Graines.* 4. *Id. grossies.* 5. *Une graine dont on à enlevé une port.on de l'arille* a.

BOTANIQUE.

MONOCOTYLÉDONES. Orchidées *(Juss.)*

Turpin pinx.t et direx.t *Plée sculp.t*

ANGREC taché.

EPIDENDRUM guttatum *(Lin.)* *Cymbidium guttatum. (Willd.)*

(1/2 grand nat.)

1. *Calice pistil et étamine.* 2. *Calice, corolle et labelle.* 3. *Pistil et étamine.* 4. *Masses polliniques.* 5. *Boite anthérifère.*

Turpin fils pinx. *Joyeau sculp.*

VANILLE aromatique.

VANILLA aromatica. *(Swartz.)*

(1/2 Grand. nat.)

1. *Fleur.* 2. *Fruit.* 3. *Id. dont le péricarpe est ouvert.* 4. *Étamine et labelle soudés.* 5. *Étamine.* 6. *Id. dont on a soulevé la boëte anthérifère pour faire voir qu'elle est biloculaire et que chaque loge contient une masse d'utricules polliniques agglutinés.* 7. *Coupe horizontale d'un fruit.* 8. *Graines de grosseur naturelle.* 9. *Graine grossie.* 10. *Id. coupée verticalement.*

BOTANIQUE.

MONOCOTYLÉDONES. Hydrocharidées

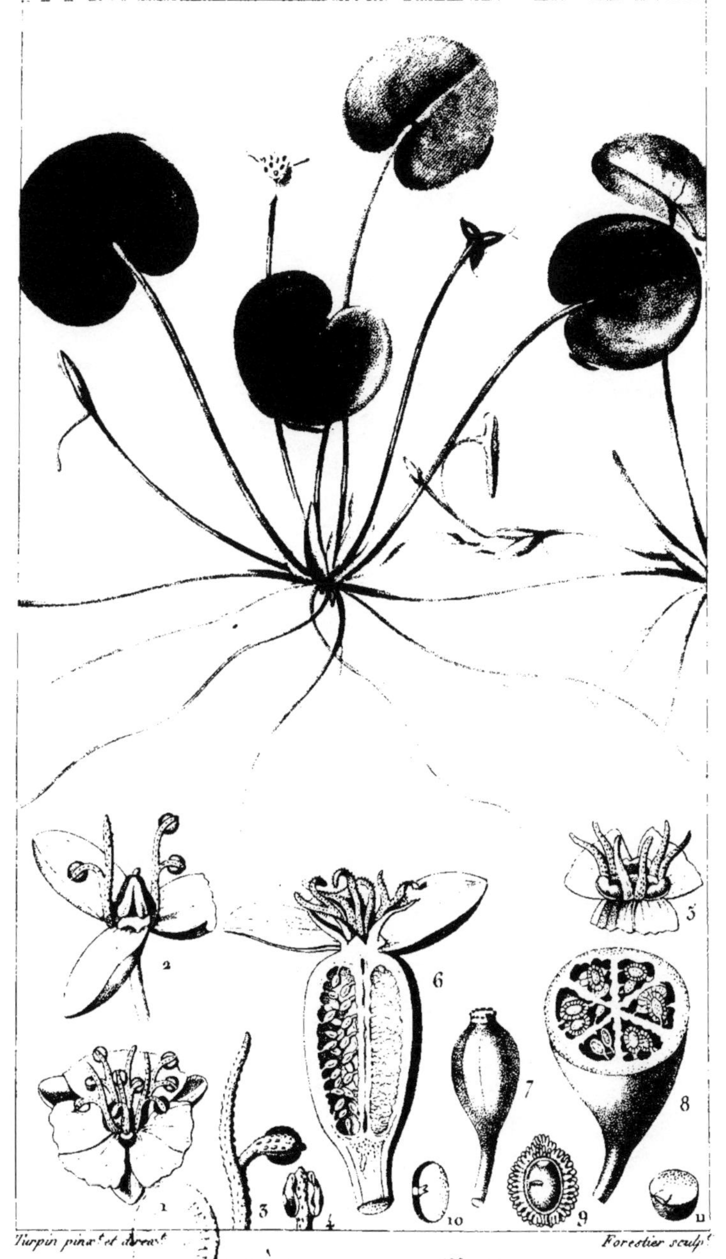

Turpin pinx.t et direx.t *Forestier sculp.t*

MORÈNE grenouillette.

HYDROCHARIS morsus-ranæ. *(Lin.)*

(Individu mâle 1/2 grandeur naturelle)

1. *Fleur mâle.* 2. *La même dépourvue de pétales et portant seulement deux étamines.* 3. *Étamine.* 4. *Anthère.* 5. *Portion d'une fleur femelle.* 6. *Coupe longitudinale d'un ovaire.* 7. *Fruit.* 8. *Le même grossi et coupé horizontalement.* 9. *Graine.* 10. *Amande coupée en long.* 11. *Id. coupée en travers.*

BOTANIQUE.

MONOCOTYLÉDONES. Hydrocharidées. *(Richard.)*

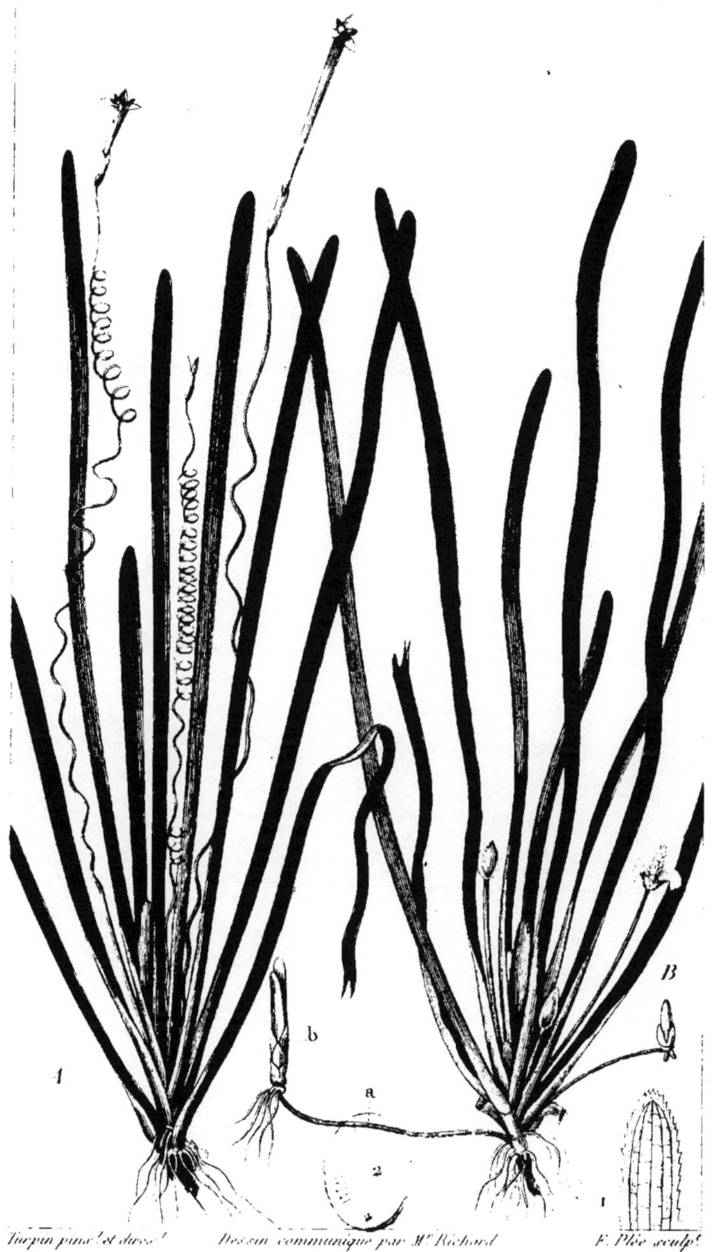

VALLISNÈRE en spirale.

VALLISNERIA spiralis. *(Lin.)*

(1/3 grand. nat.)

A. *Individu fertile.* B. *Individu stérile.* 1. *Sommet d'une feuille.* 2. *Bourgeon axillaire.* a. *Mérithalle.* b. *Bourgeon terminal.*

BOTANIQUE.

MONOCOTYLÉDONES. Hydrocharidées. *(Richard.)*

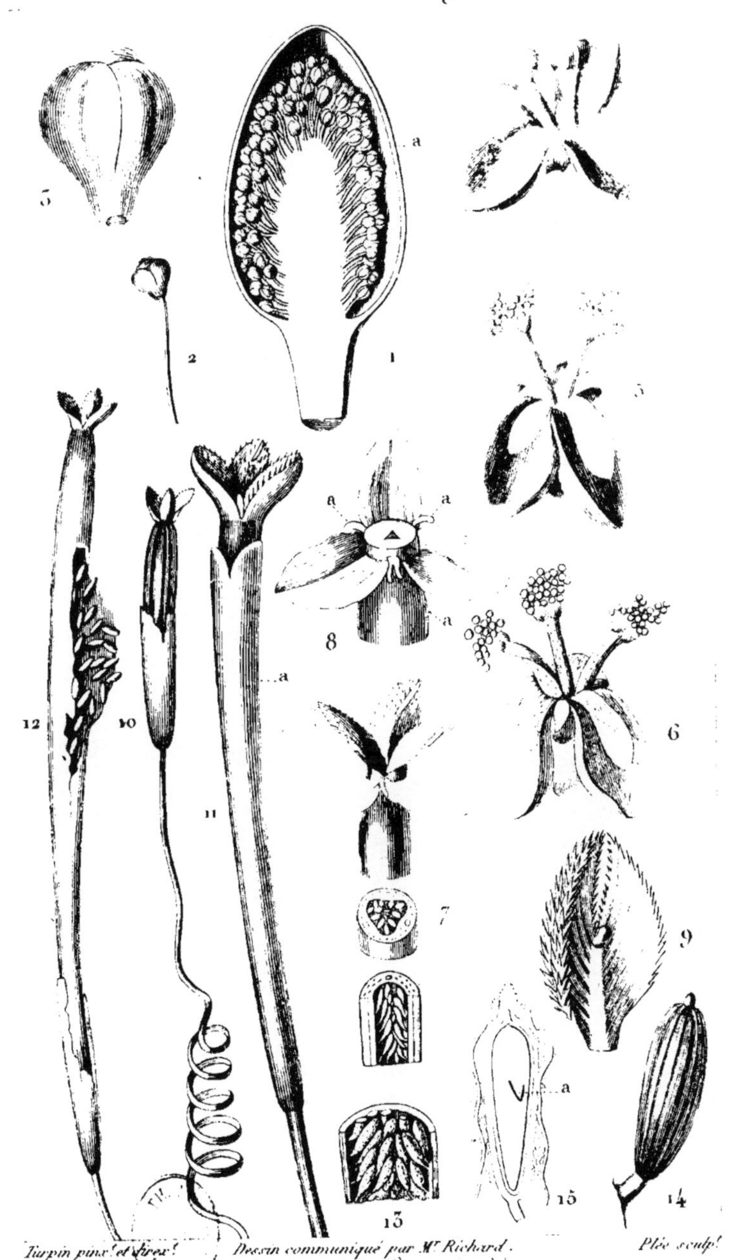

Turpin pinx.t et direx.t *Dessin communiqué par M.r Richard.* *Plée sculp.t*

Analyse de la fleur et du fruit.

VALLISNERIA spiralis. *(Lin.)*

1. *Inflorescence de l'Individu stérile, coupée verticalem.t* a. *Spathe.* 2. *Fleur stérile.* 3. *Id. très grossie et désarticulée.* 4. *Id. ouverte.* 5. *Id. dont les anthères laissent échapper la globuline pollinique.* 6. *Id. ayant 3 étamines.* 7. *Div.ses coupes d'une fleur fertile.* 8. *Une autre coupe dont on a enlevé les 3 stigmates.* a a a. *Pétales rudimentaires.* 9. *Stigmate.* 10. *Fruit.* 11. *Id.* a. *Involucre.* 12. *Id. crevant et laissant sortir les graines.* 13. *Portion d'un péricarpe pour faire voir la disposition des graines.* 14. *Un ovule.* 15. *Coupe verticale d'une graine.* a. *Gemmule.*

BOTANIQUE.

MONOCOTYLÉDONES? Cabombées. *(Richard.)*

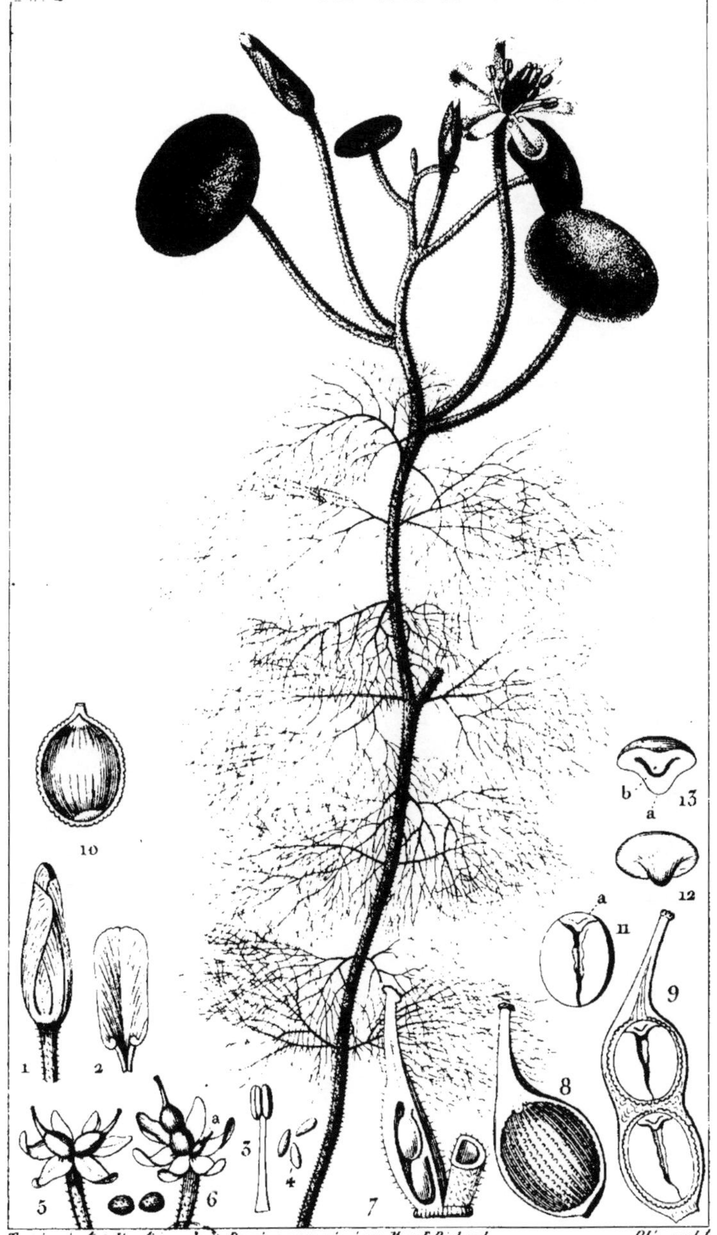

Turpin pinx.t et direx.t ... *Dessin communiqué par Mons.r Richard.* *Plée sculp.t*

CABOMBE aquatique.

CABOMBA aquatica. *(Aubl.)*

(1/2 Grand. nat.)

1. *Fleur avant l'anthèse.* 2. *Une des trois folioles calicinales internes.* 3. *Etamine.* 4. *Utricules polliniques.* 5. *Calice et fruits.* 6. *Cal.ce et fr.ts dont un en* a. *est resté rudiment.re* 7. *Pistils coupés en différents sens.* 8. *Péricarpe monosperme coupé longitudinalem.t* 9. *Id. contenant 2 graines.* 10. *Une graine dont on a enlevé la moitié du tégum.t pour faire voir l'amande.* 11. *Coupe verticale d'une amande* a. *Embryon.* 12. *Embryon isolé.* 13. *Id. coupé vertic.ent* a. *Coléorhize.* b. *Radicule propre.*

Turpin pinx. et direx. *Dessin communiqué par M. Richard.* *Calais sculp.*

HYDROPELTIS purpurine.

HYDROPELTIS purpurea. *(Mich.)*

(1/2 Grand. nat.)

1. *Etamine.* 2. *Pistil.* 3. *Id. coupé pour faire voir la situation des ovules.* 4. *Fruits présentant divers développements.* 5. *Un fruit coupé.* a. *Ovule avorté.* 6. *Graine dont on a enlevé la moitié du tégument* a. *Embryon.* 7. *Amande nue.* 8. *Portion d'une amande.* a. *Embryon coupé.* 9. *Embryon isolé.* 10. *Id. coupé.* a. *Gaine cotylée.* b. *Gemmule.*

BOTANIQUE.

MONOCOTYLÉDONES. Balanophorées. *(Richard.)*

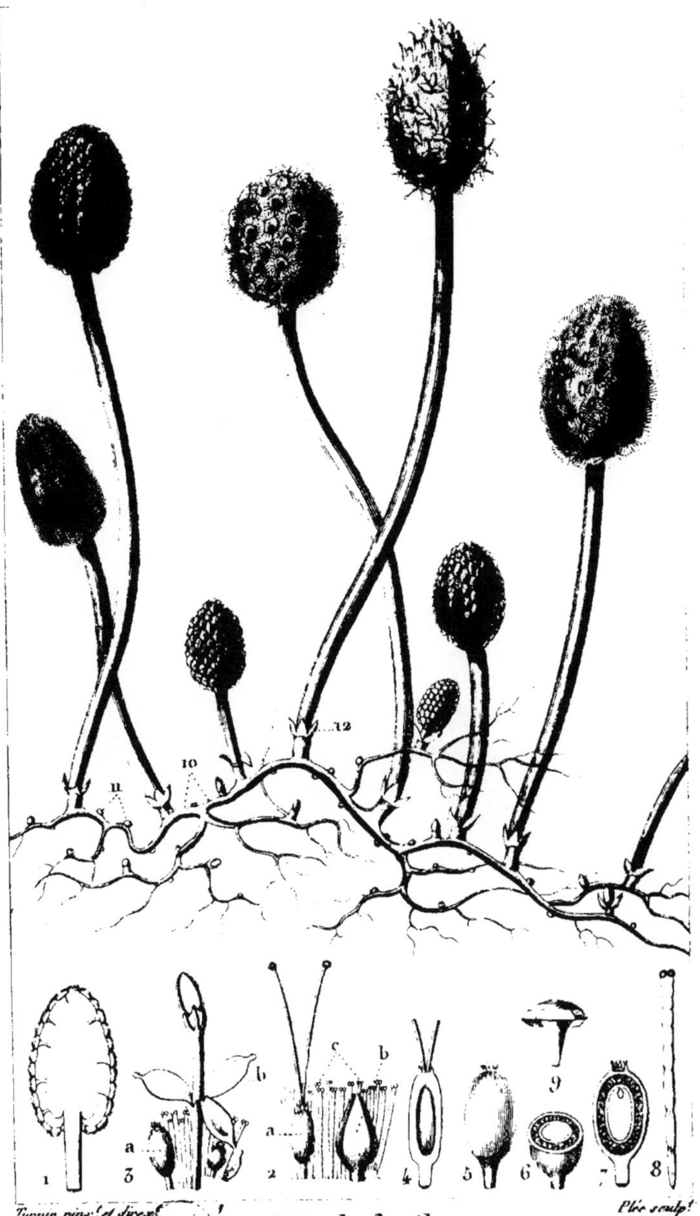

Turpin pinx.t et direx.t *Plée sculp.t*

HÉLOSIS de la Guyane.

HELOSIS Guyannensis. *(Richard.)*

(1/2 Grand. nat.)

1. Capitule de fleurs coupé verticalem.t 2. Portion détachée d'un capitule composée en a. d'une fleur fertile, en b. d'une fleur stérile non développée et en c. d'un grand nombre de fleurs rudiment.res 3. Autre portion composée en a. d'un fruit et en b. d'une fleur stérile développée. 4. Un ovaire coupé vertic.t 5. Fruit. 6. Id. coupé horizont.t 7. Id. coupé vertic.t 8. Une fleur rudiment.re 9. Ecaille ou feuille rudim.re détachée d'un capitule. 10. Tige souter.e traçante. 11. Bourgeons. 12. Involucre.

Imprimé en France
FROC021648200120
23227FR00019B/226/P

9 782329 355368